Littérature
L'*im*posture

du même auteur

revue les herbes rouges

La Désespérante expérience Borduas, nos 92-93, 1981
Dans l'expectative de la nuit des temps, nos 97-98, 1981
Felix Culpa!, nos 107-109, 1982
Pourquoi suis-je de si mauvaise foi? in *Qui a peur
de l'écrivain?*, nos 123-124, 1984

autres éditeurs

Nocturnales d'octobre, Éditions Spinifex, 1973
Fréquences, Éditions de l'Aurore, 1975
Vers les îles de lumière, présentation et édition annotée
des écrits de Fernand Leduc, Éditions HMH, 1981

ANDRÉ BEAUDET

Littérature
L'*im*posture

essais

LES HERBES ROUGES

Illustration de couverture:
Eugène Delacroix, La Lutte de Jacob avec l'Ange (détail)

Couverture: Jean Côté

Photocomposition: Atelier LHR

Éditions Les Herbes Rouges
Case postale 81, Bureau E
Montréal H2T 3A5

©*Éditions Les Herbes Rouges et André Beaudet, 1984*

ISBN 2-920051-20-2

À Nicole et Ariane-Andrée, aux prises avec l'irrémédiable de cette aventure — la plus familière et la plus étrangère, mais n'ayant plus rien de personnelle ni de littéraire — où je disparais et dans laquelle elles entrent d'en être partiellement exclues, tant que dure la nuit qui s'écrit avec moi et jamais ne connaît de terme dans le roulement de toutes les nuits.

Le Solitaire parle encore une fois. — Et nous aussi nous fréquentons des «hommes» et nous aussi nous passons humblement l'habit sous lequel (pour lequel) on nous prend, on nous estime, on nous recherche, et nous allons ainsi vêtus en société, c'est-à-dire au pays des masques qui ne veulent pas qu'on les dise tels; et nous aussi nous agissons comme tous ces masques avisés, et nous éconduisons d'une façon polie toute curiosité qui ne vise pas notre «costume». Mais il est encore d'autres manières, d'autres «trucs» pour «hanter» les hommes: on peut le faire en «fantôme» par exemple, ce qui est fort à conseiller quand on veut lestement se débarrasser d'eux ou leur inspirer de la crainte. Échantillon: on tend la main pour vous saisir, on trouve le vide. Cela effraie. Ou bien vous arrivez par une porte fermée, ou encore quand tout est éteint. Ou encore quand tout le monde est mort. C'est là, par excellence, le tout de l'homme *posthume*. («Vous figurez-vous donc», disait un jour l'un d'eux, poussé à bout par l'impatience, «que nous aurions envie de supporter ainsi cet éloignement, cette froideur, ce silence tombal et cette souterraine solitude, cette solitude cachée, muette, inexplorée qui s'appelle pour nous la vie mais qui pourrait aussi bien s'appeler mort, si nous ne savions pas ce qu'il adviendra de nous, et que c'est seulement après notre trépas que nous naîtrons à *notre vie*, et que nous deviendrons vivants, ah! très vivants! nous, hommes posthumes!»)

Nietzsche

IMPOSTE

... To say nothing of the uprights and
imposts, were persianly literatured with
burst loveletters, telltale stories... alphy-
bettyformed verbage... imeffible tries at
speech unasyllabbed...

Joyce

J'ai écrit ce livre sous forme de variations sur un
sujet, autant par nécessité que par emportement, mais
aussi parce que — encore une fois — j'aurai eu tort de le
faire.

Depuis tel lieu tordu qui me déporte, occupant le
plus souvent une position en retrait, avec beaucoup
d'obstination je poursuis très lentement et dans la plus
grande clarification une expérience subjective de la littérature, ne parlant dans ce qui me fait écrire que de ma
venue au nom, toujours dérobée dans toute nomination,
inlassablement reconduite à cette pointe accidentée de
toute nomination.

Ces textes — conférences ou émissions radiophoni-
ques produites entre 1979 et 1982 et apostillées après
coup — introduisent en relief une *riposte* engagée avant
la lettre, avant même qu'une attaque n'ait eu lieu,
qu'elle devance donc et, paradoxalement, appelle:
riposte contre la fatigue culturelle et l'amnésie actuelle

d'une certaine modernité qui s'empoisse jusqu'à l'aphasie du désir. Hétairie de fin d'époque dont l'espace, fermé sur lui-même, saturé et déjà *institué*, ne jouit plus d'aucune fonction subversive. Si je m'accommode tant bien que mal de la «nouvelle écriture» à laquelle on m'a collé, fiché, assigné, je n'adhère pas pour autant à ce miroir aux alouettes dont l'innocuité tient à un défaut d'intellection. Tournant court à cette *occulturation*, je dois rire de tout effet de surveillance et de vigilance édicté depuis peu à mon endroit. Comme écrivain, je n'ai d'autre ennemi que moi-même. Formule sur laquelle se fonde ma *conviction* selon l'amphibologie de ce mot: preuve de culpabilité et acquiescement de l'esprit, exigeant de celui qui m'écoute l'assentiment à cette duplicité.

Littérature, dans sa dimension la plus abrupte et révélée, désigne la matière de ce livre, à condition de ne pas s'y pétrifier. De l'itération de la lettre à travers la mise en boîte ou les déboires du nom, j'insiste sur l'*iter* de l'être qui, sous rature du semblant, décolle et atterrit dans le langage pour y dissoudre jusqu'au bout ses propres points de repère. «Lituraterre», bon mot autrefois avancé par Lacan, convient à l'écrivain en question s'il ne se laisse pas prendre comme un rat dans le lit de ses ratages successifs: «Ce qui de jouissance s'évoque à ce que se rompe un semblant, voilà ce qui dans le réel se présente comme un ravinement.» Il arrive quelquefois que dans ce ravinement s'entrevoit le geste d'une écriture de passage.

L'*im*posture indique la manière de se déplacer, à revers de la lettre, pour qu'elle parvienne malgré tout à destination, car toute l'épreuve en dépend — à condition que quelqu'*un* sache se jouer des mille et une impostures qui le guettent sur son chemin et, de forcer son adhérence et sa soumission, l'enferment dans le cercle des représentations perverses. Expérience de détachement en fonction de laquelle deux principes, au moins, sont requis. Un principe d'individuation: «l'individuation ne confère pas l'existence, mais elle est la condition formelle ultime de sa possibilité», «l'acte individuant est, dans la forme, son ultime actualité» (Duns Scot). Un principe de contradiction: je ne suis jamais là où l'on me cherche, on ne me trouve pas où je suis, donc je suis toujours là comme si je n'y étais pas.

Cette question de l'*im*posture que, par fausse étymologie, j'orthographie ainsi afin d'en souligner le procès de déformation et de déplacement, renvoie en contrepoint à l'*atopie* de l'écriture chez Barthes. Ce n'est qu'au cours de la rédaction des «Fragments d'*im*posture», qui forment l'imposte tournante de ce livre, que j'ai pris connaissance d'un excellent article d'Antoine Compagnon («L'imposture» dans *Prétexte: Roland Barthes*) dont je retiens à l'examen la tactique basée en deux points: la *défiance* et l'*errance*, ainsi que les valeurs qu'il énumère selon quatre traits positifs: *amateurisme, appropriation, souveraineté, Socrate*, à travers la duplicité du sens et la suspension du jugement.

Pour ma part, l'enjeu essentiel d'une stratégie de l'*im*posture comme traitement possible de toute imposture, revient à un écrivain averti qui pense trop: Kierkegaard, dont l'œuvre me sollicite par-dessus tout. Touchant le ressort d'une jouissance singulière et parodique, Kierkegaard en délivre la vérité:

«Ma destinée semble être d'exposer la vérité à mesure que je la découvre, mais tout en ruinant en même temps toute chance d'autorité. Ainsi en me discréditant, en devenant aux yeux des gens le dernier en qui avoir confiance, je mande la vérité, et je les place dans cette contradiction, d'où rien ne les tire d'affaire que se l'assimiler eux-même... On ne mûrit sa personnalité qu'en s'appropriant d'abord le vrai, quelqu'en soit le messager, l'ânesse de Balaam, un ricaneur hilare, un apôtre ou un ange.»

Donc quatre messagers: Kafka, Joyce, Gauvreau, Nelligan, tour à tour se disputent ici la bonne nouvelle, s'échangent leurs places, m'interpellent, me contestent au fur et à mesure que je les commente à y prendre mon nom des effets qui le dépassent.

À travers certains rappels d'actualité, les conflits et les malentendus que j'entretiens avec «l'esprit du temps», mais de l'intérieur puisque j'y suis irrémédiablement compromis, ce livre se veut aussi une réflexion *déplacée* sur la condition de l'écrivain où se faufile le paradoxe d'une jouissance comme rupture de contrat (social, discursif).

Selon les conditions ponctuelles et les retombées d'une telle aventure, une fois franchi le cap de la stupéfaction et du vertige qui me saisissent, j'affirme un droit à la dissonance, celui de manquer à ma place, prenant à ma charge ce manquement qui me rend si intolérable de m'*insituer* sur cette ligne de démarcation d'un jeu qui, de moi hors de moi, s'institue lui-même, se destitue de lui-même, selon que la chance confirme d'un coup ce qu'elle infirme du coup: ma déchéance devinée. Reste alors le *rire* qui s'émet à travers le *haec* de la chose (l'ordure) dont je me laisse tomber à l'*écrire*.

Je choisis à chaque instant et avec beaucoup de légèreté de m'envoyer au trou du nom propre comme *ressortissant* au Nom.

En couverture, *la Lutte de Jacob avec l'Ange* en expose tout le corps à corps: testament de Delacroix qu'il peint sur les murs de l'église Saint-Sulpice où Baudelaire avait été baptisé. Baudelaire, se rappelant à son baptême, prendra «l'inquiétante mesure» de cette œuvre de Delacroix:

«L'homme naturel et l'homme surnaturel luttent chacun selon sa nature, Jacob incliné en avant comme un bélier et bandant toute sa musculature, l'ange se prêtant complaisamment au combat, calme, doux, comme un être qui peut vaincre sans effort des muscles et ne permettant pas à la colère d'attiser la forme divine de ses membres.»

L'Ange — exterminateur avant d'être bienveillant — passe la main à Jacob qui, rusé, ne renonce qu'en lui forçant la main en retour afin d'obtenir une bénédiction par laquelle il est renommé *Israël*, lui-même nommant Penuel le lieu de son face à face nocturne avec l'Innommable.

Étrange épisode, *maqom* de l'Alliance: effet de pointe qui troue la surface des choses et des phénomènes en tant qu'inscription de leur ratage; mise à nu du nerf entre le Nom qui est reçu et le Corps qui s'y rompt — d'où la boiterie et le scandale de l'affaire dont le *nœud* donne assez de fil à retordre.

Tel est le pari!

A.B.
8 décembre 1984

Déchéance de la chose écrite

J'abomine les écoles et tout ce qui y ressemble: je répugne à tout ce qui est professoral appliqué à la littérature qui, elle, au contraire, est tout à fait individuelle. Pour moi, le cas d'un poète, en cette société qui ne lui permet pas de vivre, c'est le cas d'un homme qui s'isole *pour sculpter son propre tombeau*. (...) L'attitude du poète dans une époque comme celle-ci, où il est en grève devant la société, est de mettre de côté *tous les moyens viciés* qui peuvent s'offrir à lui. Tout ce qu'on peut lui proposer est inférieur à sa conception *et son travail secret*.

Mallarmé

1. En vous inspirant de votre expérience d'écrivain et de lecteur, que pensez-vous de l'édition au Québec (facilités de publication, qualité de l'édition, problèmes de diffusion, publie-t-on trop ou pas assez, etc.)?

Un écrivain, pour autant qu'il s'en trouve un, éprouve la plus sérieuse difficulté à se compromettre avec cette affaire de la publication qui le plus souvent lui échappe. Il soutient assez mal la mise à jour de l'écrit *au* qu'il soutire à la nuit dont il s'éveille. D'autant qu'il n'écrit pas pour ce monde-ci duquel il s'absente pour ce faire, mais dans *l'autre monde* dont il déplace en rêve la limite. Kierkegaard, Lautréamont, Mallarmé, Kafka, Bataille, Joyce, Artaud, Sollers, et même Lacan, autant de stratégies différentes de la publication pour dire que ça ne va pas de soi, que ça n'arrête pas de délivrer des effets de langage.

Le contrat d'édition qui liait Claude Gauvreau aux Éditions Parti Pris est à lui seul, paraît-il, un texte, c'est-à-dire un testament qui allait lui permettre, enfin, de mourir de cet acte, emportant avec lui son éditeur dans la dèche.

Il y a beaucoup de bruit, présentement, autour de l'édition critique et complète des écrits d'Hubert Aquin qu'on prépare, avec universitaires interposés, à grand renfort de publicité. Il est à craindre, cependant, et malgré toute la bonne volonté qu'on y met, que ce projet se heurte aux pires intolérances de ceux qu'aura compromis Aquin pour arracher à leur vie la force qui lui était nécessaire pour écrire.

Mais l'expérience la plus désespérée jusqu'ici demeure celle de Victor-Lévy Beaulieu qui l'assume jusqu'à faire de cette question le *feuilleton* de sa vie, jusqu'à la montrer en acte dans son téléroman *Race de monde*. Parfois c'est braillant de naïveté, je le concède, mais il ne peut en être autrement quand il s'agit de porter sa dépouille à l'adresse de tous.

Donc, on s'affaire beaucoup autour de cette question: publier, éditer.

Publicare, c'est montrer, exhiber quelque chose pour le vendre à l'encan, le confisquer ou l'adjuger à l'État. Ou encore: révéler, divulguer un *secret*. Du moins, on le donne à croire.

Lacan a ce mot de *poubellication* pour désigner la chute de la chose écrite dans la corbeille à papier ou dans l'oreille d'un sourd. Pou-belliquer: voilà l'entêtement que met l'écrivain, toujours un peu parasite, à rendre l'écrit incompatible avec ce qu'on pourra en lire, à faire sauter la trésorerie de la langue. Comme porteur des germes de sa pratique, l'écrivain — du moins tel que l'entend Barthes dans sa *Leçon* — «doit avoir l'entêtement du guetteur qui est à la croisée de tous les autres discours, en position *triviale* par rapport à la pureté des doctrines (*trivialis*, c'est l'attribut étymologique de la prostituée qui attend à l'intersection de trois voies)». Trivial, vulgaire et comme un, l'écrivain ne s'engage pas comme tout le monde sur la voie publique (de la publication).

Mais il y a plus.

Ma décision de publier rencontre sur le marché potentiel mais restreint le tri de l'éditeur dont la fonction est d'autoriser l'écrit sous la forme du *support* qu'il lui confère. Le contreseing de l'éditeur authentifie et engage, à parts inégales, la signature de la chose écrite. De sorte que neuf fois sur dix on achète un «auteur» sous le nom de l'un ou l'autre des quelques éditeurs qui se partagent l'ensemble du marché. Rien de plus jactant, n'est-ce pas, que la jaquette d'un livre à faire image de quelques affirmations péremptoires dont elle ordonne la disposition (à lire). L'éditeur tient donc un discours que ne peut ignorer un écrivain et avec lequel il entre en belligérance ouverte. L'écrivain n'a qu'à bien choisir son éditeur d'en être l'élu, c'est-à-dire l'*élusion*.

Edere veut aussi bien dire accoucher qu'expirer: ce qui se laisse mettre au monde, dehors, ainsi représenté (par un autre et sous un autre nom), est aussitôt mort-né, lettre morte. *Editio* désigne les juges entre lesquels un accusé devra choisir par voie de récusation, mais comme les juges sont toujours parties prenantes dans cette affaire, il est fréquent qu'on lui signifie une fin de non-recevoir. *Editus* indique une certaine hauteur à partir de laquelle se produit une déjection: la retombée de déchets.

Avec la complicité de son double (le libraire) qui en prend livraison par l'intermédiaire de qui le distribue, l'éditeur *publie* — c'est-à-dire rend public sous son aspect manifeste et transparent — un *déchet* qu'il a à charge d'évacuer, à tout prix, de son lieu d'énonciation. D'un nom dont il garantit froidement l'absence et l'abstention, constat de décès qui permet de mettre le cadavre en tombe[1], il assure de son sceau la paternité d'une image (par contrat), la pérennité d'un mythe dont s'empare à sa suite toute institution. Lors du lancement, l'auteur peut honorer qui il veut d'une dédicace, il ne dédie en son nom que ce qu'il a déjà dédit, pour l'écrire, de son nom: voilà le symptôme que l'autre est chargé de mettre en scène, car *editio* veut aussi dire «faire jouer».

À l'autre bout de la chaîne, la littérature ne s'enseigne que lorsqu'elle devient *lettre morte* (fétiche codé) entre les mains de tout professeur qui la détient pour la brandir aux yeux de qui il épingle du sens pour aussitôt l'ensevelir — de peur qu'elle ne lui soit volée ou que, plus simplement, elle ne s'envole à nouveau: c'est pourquoi, dès que reçu, elle déçoit l'étudiant en lettres[2].

D'un bout à l'autre de la chaîne, il s'agit d'éliminer, pour le porter à son crédit ou le discréditer, le dire d'un sujet parlant qui *paye de son nom* cette renommée (post mortem) qu'entraîne son dire ainsi déjeté, tordu, quand on se substitue à lui pour le comprimer[3], le *bander* dans un tissu sans faille: «la survie de la chose écrite est celle de la momie» (Bataille). D'où la question: pourquoi un écrivain est-il si pressé de se faire langer et emmailloter, de se débarrasser au plus vite de ce déchet (*editus*: c'est aussi l'excrément) qui lui colle au corps? S'il ne tient pas compte du support de la publication dans l'imprimé, il est aussitôt coupé de l'opération de langage qu'il émet dans ce qu'il dit.

L'éditeur, le libraire, le commentateur d'opinions, le critique de journal, le professeur, jusqu'au linguiste en passant par l'analyste, sont là pour étouffer dans l'œuf, tenir ferme, boucher cette part intolérable (maudite) qu'il y aurait à laisser cette expérience se dire, se commettre et se commenter sans fin en s'expiant.

Comment maintenir vivant ce que l'éditeur et les autres par-derrière lui, par commerce et par profession, veulent exhiber *comme mort-né* en un rituel falsifié, un culte vicié, une ritournelle innocente?

Gérard Manley Hopkins écrivait dans une lettre en 1881: «Je laisserai ce que je produis attendre et courir sa chance; (...) le meilleur sacrifice n'est pas de détruire son ouvrage, mais de le laisser entièrement *à la disposition de l'obéissance* (...) Il y a plus de paix et de sainteté à être inconnu.» Il est vrai que nous ne sommes pas tous des jésuites, mais il est possible de penser cette question de la publication comme une casuistique. C'est un point fort à partir du moment où un écrivain ne s'abandonne pas facilement à n'importe quelle incorporation[4].

2. Comment définiriez-vous la relation qui existe (ou non) entre vos livres et la critique? Votre impression générale sur la critique littéraire québécoise (sa compétence, sa diversité, etc.)?

Il me faut faire un aveu: je publie très peu. Il est vrai que je m'efforce d'envoyer mes choses déchiées toujours à la mauvaise enseigne, de sorte qu'on me les retourne avec la petite note de service pour me faire savoir qu'elles n'intéressent personne[5]: trop grosses ou trop lourdes, importées ou illisibles, quand elles ne sont pas dites prétentieuses. En somme, j'entretiens le malentendu: aucun éditeur n'est prévu par l'opération de langage qui me tente, c'est-à-dire que dans cette histoire d'imposture je marque le coup — l'acuité du coup. De toute manière, je ne suis pas pressé: d'être devenu posthume, j'ai maintenant tout mon temps. C'est l'*imposture* de Mallarmé vis-à-vis ses contemporains et qui consiste «de temps en temps à envoyer aux vivants sa carte de visite, stances ou sonnet, pour n'être point lapidé d'eux, s'ils le soupçonnaient de savoir qu'ils n'ont pas lieu».

Cependant, il m'arrive quelquefois de publier. Ainsi par la voie d'un journal, j'apprends que Jean-Guy Pilon, son attention attirée par la disposition formelle d'un texte que je venais de commettre, avait tourné de l'œil. Un autre critique du même journal me téléphone afin que je l'éclaire sur le sens de ma démarche (c'est un cas de déontologie professionnelle); quelques jours plus tard, je lis qu'il n'avait été impressionné que par ma mise en scène d'un «onanisme» particulier. Pour ce même livre, un professeur d'université — il est vrai, avec l'aide de Castoriadis, et pas très sensible aux vertus d'Onan — l'a taxé de «stalinisme scriptural» (*sic*). Malheureusement pour moi, ce dernier concept dont je serais la référence éprouvée n'a pas encore fait fortune en critique littéraire.

Mes relations avec la critique sont aux plus bas[6].

L'instance critique, comme la nomme si justement André Brochu, se fait rare. Entre le journaliste coupegorge qui expose chaque semaine sa tête de Jivaro et le discours universitaire qui donne de plus en plus dans l'anthologique, il y a les tenants de la grille minimale qu'ils braquent sur n'importe quel texte pour chauffer à blanc leur méta-théorie et ceux qui, d'un coup de tête, commencent leur approche critique par la dénégation de l'objet sur lequel ils achoppent. N'oublions pas les déli-vreurs d'un permis de jouissance qui vous ouvre la porte de ce que Barthes appelle la *signifiôse*.

Quelque part la *pensée* fait défaut, l'inspiration (le coup de foudre) dans la pensée (au sens de Nietzsche).

Donc l'édition est en crise, l'enseignement est en crise, l'économie est en crise, l'Occident est en crise. Partout ça s'éditionne[7]. Seule la critique, ici, ne met rien en crise — corsetée qu'elle est.

La critique littéraire «québécoise»: un langage qui retarde.

«En critique, la parole juste n'est possible que si la responsabilité de l'''interprète' envers l'œuvre s'identifie à la responsabilité du critique *envers sa propre parole.*» «Passer de la lecture à la critique, c'est changer de désir, c'est désirer non plus l'œuvre, mais son propre langage.»

J'ai glané ces quelques propos pour prendre date: Barthes, *Critique et Vérité*, 1966.

Comment mettre un peu de gongorisme dans la pensée, un peu d'acuité et de *grâce* (ce mot vient du nom de Baltasar Gracián), d'ingrédient et de piquant, un grain d'excès dans le sérieux allié à l'ironie joyeuse d'un art de la guerre?

Il s'agit de revendiquer, en l'affirmant, une liberté de langage.

Quand il m'arrive de produire, de la plus amicale façon mais complice, une intervention critique qui engage ma responsabilité, deux mots en soutiennent le questionnement: *transfiction, parlogue*. Le premier témoigne de l'irruption du langage que je tente dans la vérité du langage qui m'atteint, le second insiste sur la nécessaire déclinaison d'identité de celui qui est aux prises avec cette tentation.

Mais, au train où vont les choses pour moi, il n'est pas certain que ces deux mots que j'exhume de mon classeur voient le jour en toute liberté.

3. Comment voyez-vous le rôle de l'État dans la vie littéraire (subventions à l'édition, bourses de création, prix littéraires, etc.)?

Dès qu'il publie, l'écrivain devient suspect, parfois il dérange, car, par l'exigence de l'écriture qu'il affirme en levant la violence dont elle est porteuse, il touche — directement ou de manière distraite — le nerf de la communauté parlante dont il noue et dénoue sans cesse le lien qui le rattache encore à elle. Fonction de ratage de l'écriture: un écrivain ne compte que s'il a le désir de trancher le nœud gordien du langage, mais dont le geste reste interminable, n'étant lui-même qu'un effet de la coupure.

Il arrive qu'un écrivain s'incline devant la Loi qu'il défie, demandant à un proche d'assumer pour lui l'expiation de sa faute par autodafé. Cependant l'État, s'il se sent menacé par cette affaire publique qui le concerne et dont il s'adjuge tous les droits, peut procéder de lui-même à la liquidation de ce fond(s) qui l'excède.

Le droit le plus volontiers reconnu à l'écrivain est celui *de se taire*, selon la formule consacrée: il n'y a d'écrivain que mort. De cela il faut s'assurer, se rassurer d'abord, avant de procéder à l'identification du cadavre de l'auteur et aux actes de célébration et commémoration — à supposer qu'il y ait lieu de le faire.

Aujourd'hui, l'État (et, en ce qui nous concerne, il n'y a pas qu'un État-Providence, mais deux) subventionne la recherche et l'édition, distribue des bourses, décerne des prix, etc., en plus de légiférer et d'énoncer des politiques culturelles. En d'autres termes, l'État n'est pas qu'un pourvoyeur de fonds; devenu patron et contrôleur, il étend son pouvoir sur toute institution dont il est le créancier, faisant de nous tous autant que nous sommes des fonctionnaires à sa merci. Avec l'État au service de la culture, plus de risque à encourir: la course est ouverte aux concours, honneurs et distinc-

24

tions. Chacun attend son tour pour prendre part à ce régime *d'assurances sociales* de la culture qui, de la mériter, lui procure le plus souvent la première forme de reconnaissance de son travail.

L'État peut même récompenser tout adversaire au régime qu'il représente, s'il peut désamorcer et neutraliser avec l'aide des appareils qu'il commandite (information, diffusion, enseignement, etc.), pour ensuite l'utiliser à son avantage et sans contrainte, toute pensée réfractaire et porteuse de la moindre étincelle de contestation.

En donnant à un prix le nom de Borduas, porteur du plus grand pouvoir de contestation, il fait de ce nom une institution en s'annexant une renommée. De sorte que le prix, une fois institué, peut être octroyé — et cela s'est vu récemment — à un peintre académique comme Molinari qui, lors de sa réception, s'offrait même le luxe de falsifier certains faits en sa faveur afin de bien montrer qu'il a mérité — pour services rendus — de faire lui aussi l'éloge de Borduas.

L'an dernier, au plus creux du marasme où se tenaient plusieurs maisons d'éditions, le Ministère des Affaires culturelles débloque plus d'un demi-million de dollars pour la mise en chantier d'une édition critique complète des œuvres du chanoine Groulx. Qu'est-ce que cela veut dire? Par cet énoncé de politique culturelle qu'il rend prioritaire, le Ministère rend ainsi hommage à celui qu'il considère comme notre maître culturel à tous. Quand on y pense, il n'y a rien de très surprenant à cela: on se souviendra que, sous le prétexte d'épargner une œuvre d'art jusque-là enfermée au purgatoire, il avait tout aussi bien exhumé la statue de Duplessis. Question de patrimoine!

Soljenitsyne a eu un jour ce mot terrible: «Les grands écrivains, en quelque pays, sont toujours comme un état dans l'État: tous les régimes leur préfèrent les médiocres et les serviles.» De tous ces états d'âme, qu'aurais-je à médire de plus, moi qui écris en vivant au crochet des bourses que me concède l'État.

4. Est-ce que vous croyez que la littérature québécoise a l'institution littéraire qu'elle mérite?

D'un côté publier, éditer, de l'autre instituer, célébrer; entre les deux, ai-je noté, l'absence de critique que garantit le service culturel de l'État comme pourvoyeur de fonds.

La langue de l'institution se pose comme la légitimité d'un savoir qu'expose magistralement le discours de celui qui, s'autorisant de cette position, en assure la maîtrise. Il faudrait lire l'article de Michel van Schendel dans le sixième numéro de *Brèches* où il *analyse* la gérance (et l'ingérence) du discours de l'institution littéraire sous l'espèce des manuels comme forme de censure et de privilège. Ce à quoi je n'ajouterai, bien modestement, que ces quelques notations bien décousues.

Si pour Mallarmé l'écrivain, dans la solitude où le plonge l'exigence d'écrire (ce «*jeu insensé*»), ne peut que sculpter son propre tombeau, l'institution littéraire quant à elle l'assigne à demeure dans cet hypogée pour l'enfermer (la lui fermer), le remettre à sa place. Mais voilà le hic pour l'Institution: ce tombeau, frangé du deuil par lequel un écrivain fait le mort pour cadavériser sa position (déchet, rebut), *est vide.* D'où l'empressement qu'elle met à boucher ce trou, à poser la dalle d'un savoir sur ce qui la rebute, à disposer d'un nom pour le régler sur une image dont elle soutient la formation, l'impression et la solidité — le stéréotype, quoi — vis-à-vis la communauté, se chargeant aussi de réviser à l'occasion son épitaphe.

Instituer, c'est vous faire rentrer ou mettre dedans, comme on dit.

L'écrivain s'accommode assez mal de l'institution littéraire comme le mystique de l'institution religieuse: ils ont ceci en commun d'être mécréants ou saints, de déranger le monde (et l'imaginaire de son ordre) par leurs cris et leurs crises. Comme le note Lacan, «le saint est le rebut de la jouissance». C'est pourquoi, comme personne ne comprend au juste où ça le mène, on veut le mettre au pas, empêcher le pas au-delà (comme devise, ça se dit aussi: *nec plus ultra*) de ce qui ne cesse pas de ne pas passer, soit l'impasse où l'on cherche à le retenir.

Insti-tuer, cela signifie prendre en otage un nom, *tuer* l'identité en mouvement de celui qui, sous lui, s'altère au point de faire vaciller la vérité de l'écriture qu'il soutient en regard de la communauté pour qui cet acte devient insupportable.

De l'institution, les intellectuels font leur beurre, lançant périodiqucment leur campagne d'assainissement anti-intellectuelle. L'anti-intellectualisme des intellectuels dits québécois est de tradition. N'écoutez que *Book-club* de Radio-Canada pour entendre comment là, en radiophonie, on met en boîte, on la *boucle* — pour y mettre un terme — à tout opérateur de langage. Comme quoi le funambule — ce danseur de la corde raide — cède la place à tout bouffon somnambulique.

En somme les écrivains n'ont pas à se plaindre de l'institution puisqu'ils en occupent la plupart des postes: ils sont professeurs, réalisateurs d'émissions culturelles, critiques littéraires dans les journaux, fonctionnaires aux affaires culturelles, éditeurs, etc. Sauf que, dès qu'ils se sentent à une place, ils oublient vite l'écrivain qui dort en eux.

Si *instituere* consiste à organiser, comme effet de surveillance, la version sociale — et même nationale — de la littérature, *celebrare* qui lui fait pendant met en vogue n'importe quel nom dont l'institution est hantée pour en gérer et digérer l'affaire en famille. Ceci commence pour nous avec le cas Nelligan[8] à partir duquel s'inaugure la censure de l'institution comme dénégation (rituel) et compensation (mythe) et dont elle a fait depuis lors son baba (modèle). *Mortification de l'Image*, dit Barthes. D'où il résulte que toute célébration, le plus souvent, procède d'une *indigence à penser* ce sur quoi (ou sur qui) porte la fête pour laquelle il y a foule et refoulement. «Car aujourd'hui, indique Heidegger, tout s'apprend de la façon la plus rapide et la plus économique et, le moment d'après, est oublié tout aussi rapidement. Ainsi une célébration est-elle bientôt supplantée par une autre célébration. Les fêtes commémoratives deviennent de plus en plus pauvres en pensées. Fête commémorative et absence de pensées se rencontrent et s'accordent parfaitement.» Par cet affolement de la pensée qui écarte toute aptitude à penser, l'institution procède d'une mémoire sélective pour dresser, devant ceux auxquels elle s'adresse en vue de les instruire, un monument *au nom* en vertu duquel est choisi le lieu et le jour du souvenir — de préférence l'anniversaire de la mort ou de la naissance de celui qui l'a porté.

Celui qui (s')institue (dans) ce rôle de gérance et de gestion n'est autre qu'un *institor*: négociant, colporteur, trafiquant, qui falsifie la circulation des discours devant ceux qui se rassemblent là, en guise de célébration, pour commémorer ensemble, c'est-à-dire *commérer* en commun.

Il n'y a d'institution, fut-elle littéraire, que funéraire et face à laquelle un écrivain, s'il s'en trouve un, *démérite* dans la défaillance du pouvoir qu'il assume.

5. Comment voyez-vous votre situation d'écrivain au Québec (votre situation à l'intérieur de la littérature québécoise, la situation de la littérature québécoise à l'intérieur ou à l'extérieur de la littérature française, la littérature et la société québécoise, etc.)?

De tous ces repiquages dont je soutiens, bien maladroitement, la mise à l'épreuve des questions, Mallarmé en a écrit un coup quant aux préoccupations pour lesquelles cette enquête-ci a été lancée, dans un texte où se résume pour lui *la Musique et les Lettres*[9] et qu'il a lecturé devant son auditoire anglo-saxon d'Oxford parce qu'il savait qu'un auditoire français n'aurait rien entendu de cette musique que le vague, non sa tension.

Voilà à peu près où je voulais en venir, car si nous avons l'oreille de la musique comme le pensait Hubert Aquin, il n'est pas dit pour autant que la musique dans les lettres — où pointe la littérature en question — *passe*.

Du reste, on l'aura peut-être compris, la littérature ne m'intéresse pas, du moins sous cette forme de *grande réduction* qu'elle prend en s'abritant sous le couvert de la nation (québécoise, canadienne ou française — que m'importe!), en proie à ses mandarins qui partout affichent leur plus grand mépris en face de cette mise en scène du langage mais dont ils surveillent cependant les relais de transmission, verrouillés qu'ils sont par la cause qu'ils s'entendent à lui faire servir.

En ce sens, *écrire* est défaire les consciences de leur misère nationale et, faut-il l'ajouter, sexuelle. La littérature n'est plus le porte-parole d'une cause juste et, en ce sens, je n'appartiens à aucune minorité[10].

Quand je dis *écrivain*, j'entends par là *celui qui ne marche pas* du même pas que les autres ni ne langage en commun, mais court dans sa vie en accompagnant sa mort, fait de sa vie une course contre la montre. Celui qui inscrit en creux dans le volume de l'écrit qu'il commet, le commentaire vivant et vécu qui le déporte à long terme, mais de plus en plus rapidement, au-delà de cette déjection. Celui qui prend à son compte cet état permanent de crise afin d'en pressentir le point de dénouement maximal à travers une suite d'éveils dont l'insomnie percutante qui est la sienne fait la lumière sur tous les cauchemars qu'il traverse, n'accordant à sa vie que l'insignifiance d'un rêve éveillé. Celui qui pousse l'interrogation à la limite même du monde *d'où il vient*.

Du reste, écrire comme mourir — et de cela, il faudra en faire aussi votre deuil — n'a aucune importance. Pour autant que l'écrit, chu et déchu, reste irrépérable et insituable en regard de ce qui reste encore à écrire.

P.S.: Je tiens à remercier André Belleau de m'avoir permis de déborder le cadre de cette enquête et de lâcher le morceau qui me restait pris entre les dents, c'est-à-dire ma langue qui en avait long sur le cœur.

Réponses au questionnaire de la revue *Liberté* (no 134, mars-avril 1981) au sujet de «L'institution littéraire québécoise».

1. Et, bien entendu, en boîte — sous scellés.
2. Aucun professeur, chargé de délivrer la lettre, ne peut admettre le pillage de sa boîte aux lettres (*pillar-box*) avant que chacune d'elle n'ait reçu son estampille. Comment faire comprendre que la littérature, aux aguets de tous les discours, ne s'enseigne pas, qu'elle n'est l'objet ni l'enseigne d'aucun discours qu'elle croise pour le (faire) lever *en passant*. Voilà, justement, le *sujet* de mon enseignement quand il m'arrive d'en faire l'épreuve sans me sentir obligé — lettres en main — d'y faire la preuve ou la démonstration d'une maîtrise comme si j'en étais le destinataire privilégié. La lettre n'est que littoral du langage dont elle fait sa litière du discours d'y retourner celui qui parle aux effets de signifiant qu'il méconnaît.
3. «... who in hallhagal wrote the durn thing anyhow?» (Joyce).
4. Se mettre à la disposition de l'obéissance, c'est le précepte d'Ignace de Loyola: *perinde ac cadaver*.
5. Un directeur de collection m'écrit pour me faire savoir qu'il n'avait aucun intérêt à la «chose littéraire» que je lui avais adressée et que, de ce fait, elle n'intéresserait aucun autre lecteur. Je lui ai aussitôt répondu, pensant refaire le coup d'Artaud à Rivière, mais dès sa seconde lettre j'ai abandonné la partie, prévoyant que notre correspondance serait elle aussi impubliable.

6. Il est vrai que je ne me laisse pas facilement interpréter, ni même citer. Quand je publie, c'est moins pour oublier le morceau que je lâche, que pour me faire oublier. C'est une question d'expiation. Je préfère le silence — marque d'amitié — qui a accompagné *la Désespérante expérience Borduas*, que d'entendre un critique, écrivain de surcroît, me loger à l'enseigne d'une «expérience panique», à la fois délirante et mystique, dont *l'impasse* — comme il dit — tient en fait à sa lecture, c'est-à-dire au fait que ce que j'écris ne se donne pas à lire.

7. C'est d'ailleurs cette crise qui constitue le marché de l'édition.

8. Ce que Joyce nomme «the family umbroglia» dont le nom de Nelligan porte la forfaiture à son comble (cf. *infra* pour le détail de cette caricature).

9. Où il est question de la transmission de l'écrit après la mort de l'auteur et que gère la famille; de l'exception qu'est la littérature comme accomplissement; du commerce et de la circulation des lettres («la correspondance de chaque nuit») dont les femmes détiennent le secret; du problème de l'*élection* dans le temps (et non du temps des élections ou des émeutes); d'où le postulat: «Tout se résume dans l'Esthétique et l'Économie politique» dont la vérité de la Fiction trouverait confirmation dans les rapports de l'Industrie à la Finance comme de la Musique et des Lettres.

10. On fait beaucoup état d'une *littérature mineure*, à propos de Kafka et selon les conditions qu'il met à jour, sans se soucier que, s'il en fait le procès il ne la pratique pas. Quiconque qui, comme lui, se sent empêcher par Dieu d'écrire, ne se résout pas à une revendication mineure, mais fait preuve d'exception majeure. C'est une question de singularité qui ne peut se soutenir d'aucune généralisation *à venir* dont toute minorité est porteuse.

Nelligan's Fake
le nom de Nelligan

Un poète ne justifie pas — il n'accepte pas
— tout à fait la nature. La vraie poésie est
en dehors des lois. Mais la poésie, finalement, accepte la poésie.

Quand accepter la poésie la change en son
contraire (elle devient médiatrice d'une
acceptation)! je retiens le saut dans lequel
j'excéderais l'univers, je justifie le monde
donné, je me contente de lui.

Bataille

On m'a demandé de vous entretenir pendant quelques minutes d'Émile Nelligan. Après une brève hésitation j'ai accepté, non pas tant de vous parler de Nelligan
puisque tout a été dit sur lui ou presque, mais de tenter
de saisir ce qui, avec Nelligan et quand on parle de lui,
conduit directement à l'enfermement ou, si vous préférez, à l'enfer dans lequel vient s'enferrer la question
de la folie quant à la chose écrite qui, elle, commence un
peu à brûler sous le nom de Nelligan.

En somme une société se porte bien quand elle

oblige à lui fournir quelque fou qui puisse la rassurer sur sa raison d'État, profondément en sommeil en chacun de nous. Faire de l'écrivain un fou, c'est éviter la catastrophe qu'il y aurait à le laisser écrire en rêvant. Ou encore, mais sur l'autre versant, le cas Nelligan, l'exemple qu'on en fait, sert d'alibi, d'exutoire ou de garde-fou à ceux qui n'ont rien d'autre à proposer que leur régression narcissique qu'ils confondent pieusement avec l'imitation d'Émile Nelligan.

D'un côté on veut un fou pour sauver la santé nationale, de l'autre on croit être ce pseudo-fou qui amuse la communauté. Entre les deux, la chose écrite porte le mal à son point d'extrême détachement dans la langue, mais personne ne veut l'entendre.

Quoi qu'il en soit, dès que surgit le nom de Nelligan, on assiste au déferlement du commentaire, celui du mythe qui veut que, poète maudit ou fou, il soit malgré tout notre plus grand écrivain. À partir de là tout est dit, recouvert, drapé, bien mort et coupé de toute vérité singulière. En famille, nous pouvons passer du temps en célébrations.

Évidemment l'occasion est belle aujourd'hui puisqu'il s'agit de célébrer le centième anniversaire d'une naissance qui aurait été à tout prix celle de Nelligan. Encore une fois, on fait comme si l'écrivain n'advenait pas *de lui-même* au moment de sa naissance dans la chose écrite qui, ne sachant pas qui elle veut en propre, lui fait aussitôt prendre la place du mort qu'il signe. Ainsi, pour tout le monde, Émile Nelligan est né à Montréal un 24 décembre 1879, d'un père irlandais et d'une mère québécoise, et non pas en 1896 sous le pseudonyme d'Émile Kovar dont l'étrangeté du nom vient redoubler le nom étranger du père, insupportable, et qu'il va par la suite franciser en le retournant comme un *gant* — comme s'il était le nom de la mère. Par ce coup de hache supplémentaire dans la prononciation écrite de son nom avec lequel il jongle, supprimant dans le même temps le *e* féminin du prénom, *Émil Nellighan* devient enfin le fils de sa mère avant d'être par la suite l'Émile Nelligan que vous connaissez tous, mais qu'il n'était déjà plus.

À travers ce jeu de la signature translittérée d'une langue dans une autre, mais cryptée, il est au plus près de sa nuit à laquelle il retourne sans cesse et qui, du fait de ce retour nostalgique au jardin de son enfance, l'enferme — depuis toujours mort-né: «Parmi le mobilier de deuil où je suis né/Et dont se scelle en moi l'ombre nacrée et pure.» Roman familial insurmontable dont il ne lui reste que quelques souvenirs et airs inlassablement répétés sous la surveillance d'une mère enveloppante qui l'endort, lui donne la mort — lui qui sait du même coup ce que deviendra l'errance dérisoire de sa vie qui l'échoue dès la naissance et dont il ne reste qu'un blason porté par l'ombre de son nom: «Ma vie est un blason sur des murs de ténèbres,/Et mes pas sont fautifs où maintenant je vais.» Ces pas fautifs (ailleurs, c'est une *vierge noire* qui lui dit: «tes pas ont souillé mes chemins./Certes tu la connais, on l'appelle la Vie!»), ces faux pas, donc, n'indiquent aucun passage ni aucun franchissement possible de cet espace familier qui le fait délirer et devant lequel il reste interdit. La folie que revendique Nelligan, ce mur de ténèbres qu'il ne cesse de frôler en fugitif pour avoir offensé la Vie, devient sa seule chance de salut: l'assomption de sa faute d'écrire. Ce qui lui donnera le droit de se taire pendant plus de quarante ans.

L'an dernier, c'était le centenaire de la naissance de Lionel Groulx. Lui aussi vient vous parler d'une naissance, non pas la sienne, mais de celle qui fait délirer ensemble toute une communauté: *la naissance d'une race*. Ce en quoi Groulx n'est pas un écrivain, mais un idéologue, celui qui prend en charge l'*idiotie* de tout un chacun pour la canaliser dans l'euphorie d'un consensus social qui, mimant la différence, vous agglutine, vous colle à la peau, vous marque: «Nous différons de tous par tout, par la langue, par la foi, par les mœurs, par l'histoire. Si l'on m'oppose que cette différence est faite de notre pauvreté et de notre néant, je dis alors: écoutez la rumeur de notre passé. Peut-être vous révélera-t-il de quelle substance nous sommes faits.» Et la rumeur passe, se répand, fait ensemble, gronde, entre ce point de captation de tous dans l'imaginaire de chacun et ce point de fixation du tout dans le langage qui en délimite les maîtres-mots. Sur cette butée du fantasme de la «race élue» qui aspire «à la suprématie intellectuelle» en Amérique, vient se concocter la *vraie filiation* («notre maître le passé») qui harmonise, avec son culte des ancêtres (nouvelles idoles), sa haute naissance par assujettissement à un *ordre nouveau* et par amuïssement de chacun en tous dans le tout-ensemble, colmatant du coup son trauma, c'est-à-dire bouchant tout rapport à l'autre. Ainsi fonde-t-elle le sens d'une mission *héroïque* (et surmoïque) tout en déterminant le lien de l'héridité dont elle se soutient religieusement («puisque, catholiques, nous détenons la vérité la plus haute»). C'est ce que Groulx nomme «l'argument de l'histoire» dont il va assurer la rectification pour vous protéger, par cet écran salutaire, de toute menace étrangère, de toute *autre* différence.

Cette fonction d'appel à la haine dans la vérité de la race (et que les sectateurs de Groulx, les *Jeune-Canada* et leur revue *Vivre*, vont amplifier de leurs voix *nazillardes*) déclenche un affect racial dont nous sommes tributaires, encore aujourd'hui, des effets distribués en chacun de nous et qui nous ligature en nous tenant en haleine dans l'angoisse de la perte, dans l'angoisse de perdre notre *petit quelque chose*. Hors de l'ensemble, point de survie; hors de la semblance, point de salut! Cela consiste donc à savoir où donner de la tête, à bien se raidir, à donner de la bande ou à bander ensemble, afin de river l'autre au clou avec lequel il croyait nous avoir définitivement fichés en terre. Simple renversement du schéma colonialiste, seuls les «maîtres» échangent leur place en donnant l'illusion que tout a changé, non seulement de mains mais de substance. «Que pour redresser l'âme de nos fils et de nos filles, on leur fiche dans la tête, comme un clou rivé, ce mot d'ordre, ce leitmotiv obsédant: *Être maîtres chez nous*. Que tous les murs des classes leur crient la grandeur de ce but; qu'on les y achemine par une éducation volontaire, virile; et dans dix ans, une race nouvelle de Canadiens français aura surgi, une race déterminée à prendre possession de sa province.»

Vous êtes aujourd'hui aux prises avec la logique de cette réapparition d'une haine rentrée qui s'étale à nouveau dans l'apparentement des discours politiques et des appareils institutionnels, entre l'assimilation ou la diversité à tout prix, entre un «oui» ou un «non» qui vous coince dans la même rengaine d'un vouloir-dire dont vous ne savez plus très bien ce qu'il dit ni ce à quoi il réfère.

Et la littérature dans tout cela? Elle doit être, pour Groulx de la même teneur intellectuelle, tout aussi virile et volontaire, morale et nationale, répétitive et stéréotypée, afin de ne pas répéter les erreurs et les errances de ceux qui sombrent dans l'étrangeté jusqu'à devenir étrangers à eux-mêmes. Comme les symbolistes, par exemple, qui «aboutissent à la chimère, à la bizarrerie. Ils se rendent inintelligibles, certainement pour les autres et probablement pour eux-mêmes.» Cet *inintelligible*, toujours pour Groulx (mais vous pouvez l'entendre dire par n'importe quel journaliste littéraire du week-end qui a le plus grand souci de ceux à qui il s'adresse), cet inintelligible est justement porté par *le nom* de Nelligan qui a malheureusement choisi la «pauvreté» et le «néant» au lieu de la «mystique de l'effort», la déportation dans de lointaines contrées imaginaires au lieu de la «mystique nationale», le refus de sa race au lieu d'une mystique *ratiale*. En d'autres mots, au nom de la raison et de ce qui peut encore être raisonné, Nelligan n'a pas la «substance» ni l'étoffe de la «belle âme» d'un Jules de Lantagnac sous la dictée d'Alonié de Lestres (ou, si vous me permettez cette boutade, de notre «aliéné des lettres» sous les espèces de ce bon chanoine Groulx). Mais, voilà le coup de maître de Groulx, une fois qu'il a bien enfermé Nelligan dans sa folie qui l'exclut de toute communauté, il peut faire *revenir* le nom de Nelligan sous la coupe du «génie» (génie de la langue, bien entendu) qui accompagne la mise en ordre d'une raison débilitante et militante, le faire rentrer sous la forme du *genus* de la race qui l'arraisonne. Nelligan, para-site, est expulsé du discours de Groulx. Mais, une fois que Nelligan est isolé, son nom peut fonctionner à nouveau et occuper les sites que Groulx aménage dans la langue «maternelle» au service de l'appareil scolaire pour renforcer l'identité de la race. Peut-être que tout cela ne vous a pas tellement frappé, mais Lionel Groulx vient occuper le devant de la scène québécoise pendant les quarante années de réclusion de Nelligan.

Entre le centenaire de la naissance de Groulx et de Nelligan, a eu lieu aussi le trentenaire de la publication de *Refus global*, ce petit livre baroque et hérétique qui en dit long sur l'intoxication nationale et l'inquisition religieuse: coup de force insolite qui surprend l'un et l'autre, Groulx et Nelligan, dans leur complicité réciproque, pour leur signifier que leur temps est bien terminé, le temps de la terreur comme celui de se taire.

Comme vous le voyez, les *affaires culturelles* se portent bien, surtout quand on ne sait plus très bien ce qu'elles célèbrent dans l'appointement familial des noms propres bien «de chez nous». On peut même se permettre de vous ressortir la statue de Duplessis sous le prétexte que c'est quand même une œuvre d'art produite par un sculpteur d'ici et qui enrichit le patrimoine national.

Quant à l'histoire littéraire, elle suit son cours, jouant un nom contre un autre, en déposant un pour le remplacer par son envers. Elle élève des monuments ou les profane. Tout comme la critique qui lui est appâtée, elle relève d'une feinte, d'un *fake*, d'une illusion dont nous ne nous sommes pas encore tout à fait éveillés. Sur la base d'un double langage qu'elle tient, cela consiste à affirmer, d'une part, qu'il est *impossible d'écrire* ici puisque les conditions politiques d'une littérature nationale ne sont pas rassemblées et, d'autre part, mais venant en rabattre sur le même sujet, à surestimer respectueusement le *fait littéraire* par lequel une société (fut-elle aliénée) se parle et survit. D'où le triomphe, depuis une vingtaine d'années, du sociologisme qui conditionne et régularise toutes les formes de la littérature comme de l'art, concluant à leur *caractère déceptif*[1]. Le nom de Nelligan, *dans cette histoire périmée*, est devenu le moteur de cette illusion, le sujet anodin d'une aventure fautive, le grand rêve de tout adolescent encore pubère, le mythe académisé de cette impuissance de *faire* dans l'écrit, sans oublier la surestimation dont l'énigme Nelligan continue de faire l'objet encore pour nous aujourd'hui. De sorte qu'on a toujours affaire à une réputation surfaite: on écrit très tôt pour se faire reconduire, encore trop tôt, au silence (à la folie, au suicide ou à l'exil). Personne n'est là, ou arrive toujours trop tard, pour prendre la mesure de l'expérience qui se consume sous vos yeux. À chaque fois, dans cette histoire de cadavres, l'aveuglement consiste à rater *le rapport vivant*.

Lorsque le 9 août 1899, Nelligan subit la crise qui devait l'emporter hors de la littérature, lorsqu'il bat en retraite du côté de Saint-Benoît pour échapper à l'incurable de cette crise jusqu'en 1925, année de la mort de sa sœur Gertrude, pour ensuite passer du côté de Saint-Jean-De-Dieu qui le verra mourir dans l'indifférence à lui-même, ce qu'on a enfermé, ce n'est pas tellement Nelligan devenu enfin le sujet de *sa* folie qui l'isole, mais la littérature elle-même, je dirais plutôt: *les conditions d'émergence de l'écriture*. Pour moi, Nelligan représente, par sa brève aventure au seuil du langage, les conditions d'émergence possible d'une écriture en cette fin de dix-neuvième siècle: fonction d'appel de la poésie — son témoignage singulier et irréductible — dans une langue musiquée touchant au corps de la mère qui étrange ou étrangle celui qui advient à ce fond refoulé qu'il déploie en rêves et en fictions pour en faire entendre toute la batterie, tous les battements irrémédiables parce que sidérants, etc. Au bout du compte, il y a toujours l'annonce de votre propre disparition: ce qui vous rend un tel texte intolérable, inintelligible et illisible. Voilà ce à quoi se confrontent, tour à tour, Alain Grandbois, Saint-Denys Garneau, Claude Gauvreau, François Charron, à la suite de l'expérience désespérée de Nelligan. La fonction de l'écrit, quand elle n'est pas aveuglée ou égarée par l'*affaire* sexuelle et familiale, c'est-à-dire *religieuse* qu'elle se charge de décomposer point par point ou nœud par nœud dans le matériau même de son langage, se mesure au détachement de la lettre et de la Loi qu'elle met en procès, mais aussi à la vérité pratique, effective et toujours fictive, de qui souffre pour parvenir à ce moment d'extrême séparation. Dans cette enceinte où il devient de plus en plus difficile *de faire un pas au-delà*, Nelligan, de ne pouvoir faire le deuil de sa mère, se laisse petit à petit *maternellement* étrangler par la mélancolie de ne pas faire corps avec cette «vierge noire». Un cri dans la nuit suivi d'un très long silence.

En plus de Nelligan, il faudrait peut-être s'interroger sur l'expérience picturale qui, au même moment, avec Suzor-Côté et surtout Ozias Leduc, commence à produire une décomposition spectrale dans la couleur comme support à ces questions. C'est le langage muet de la peinture qui va venir dire «quelque chose» que la littérature jusque-là s'était interdite à cause d'une difficile verbalisation dont elle fera d'ailleurs toute *sa cause* — sa cause idéologique littéralement engagée — entre le «non poème» et la quête du «poème» (Miron)[2]. La couleur, cet «hymne compliqué» comme l'appelle Baudelaire, fait voir en le déplaçant, fait retour sur ce fond sexuel qui l'agite et qu'elle montre, laisse entendre les rumeurs différées de cette agitation entre *ce* fond et la surface qu'elle couvre, entre le bas et la verticalité du geste qui le manifeste à travers son refoulement. Voilà pourquoi la peinture, par ce jeu de la différence sexuelle dans l'ambivalence de la couleur, rend aveugle qui n'y entend rien. Quand Nelligan meurt en 1941, commence alors la grande aventure automatiste, née dans la retraite et la grotte d'Ozias Leduc, lui-même religieusement apeuré devant le geste décapant de Borduas. C'est ce geste de plus en plus infigurable qui va permettre à Claude Gauvreau de changer de langue, de ventriloquer à partir des entrailles cette rumeur d'une langue absente à elle-même et, dans *Étal mixte*, de se mettre à parler en langues pour désamorcer le délire de cette religion fasciste qui occupe le Québec depuis les années vingt (précédé par cinquante ans d'ultramontanisme) et dont le nom de Duplessis, à tout prendre, ne sera que la façade la plus visible, c'est-à-dire la plus dérisoirement comique[3].

L'acte d'écrire de Nelligan procède d'une sollicitation de lectures qu'il fait à partir de ce qui s'écrit *ailleurs*, d'une appropriation du texte étranger[4]. Mais, à cause de cette trop grande coïncidence entre ce qu'il lit et ce qu'il veut écrire, il ne parvient pas à inscrire dans cette opération de lecture, qui le retient en vie, sa propre décision d'écrire. Au texte étranger qui le sollicite et qu'il s'approprie, il oppose une résistance, n'arrive pas à le casser ni à le détruire: un poème de Rollinat, par exemple, lui appartient en propre, il peut même le signer comme s'il l'avait vraiment écrit. Pour Nelligan, le texte étranger fait symptôme, il est *la* métaphore dans laquelle il puise ses métaphores sans en perdre une. À ce texte étranger (*alienum*) comme métaphore se conjoint son drame (*alienatio*) dont il est le sujet et non l'enjeu, ne pouvant de ce fait ni le mettre en scène ni le déplacer. Sa brève aventure reste en deçà de celle de Lautréamont ou de Rimbaud; elle n'est pas, quant à la folie qui le guette et dont il ne parvient pas à repousser la limite, à la mesure de ce qui se joue avec Poe, Hölderlin, Baudelaire, Nerval, Nietzsche, mais elle en dessine à la surface la lecture possible dans l'impossibilité où il se trouve — *et où nous nous trouvons avec lui* — de l'écrire. Néanmoins, Nelligan nous aura montré comme dans un rêve les conditions d'un tel travail du texte, le corps à corps d'une langue aux prises avec ses tessitures qui la déportent sans arrêt. Cette situation de Nelligan se vérifie encore aujourd'hui: la lecture l'emporte toujours dans l'écrit compulsivement cité et récité, ratant ainsi les transformations possibles. Au lieu de s'embrayer dans la langue, ça s'enraye en l'évacuant: c'est déjà écrit avant même de commencer à brûler dans l'écriture[5].

Nelligan écrit donc tous ses textes entre 1896 et 1899, c'est-à-dire au moment où Mallarmé écrit le «Mystère dans les Lettres» et *Un coup de dés*, où Freud vient de terminer ses *Études sur l'hystérie* pour aborder de front cette autre scène de la *Science des Rêves*, et où s'annonce avec Saussure l'éclosion des sciences du langage bordées par leur fictionnement anagrammatique. Pendant ce temps-là, Joyce, l'irlandais, est aux prises à seize ans avec une dissertation sur «L'Étude des langues» dont il produira tous les effets pendant quarante ans, nouant et dénouant à l'infini les langues entre elles pour se jouer de l'infirmité qu'il y aurait à *n'en prendre qu'une seule en hommage à la mère*.

Prenons encore un détour, toujours par cette passion raciste qui fonde les différents discours sur *la nationalisation de la littérature*. Dans son *Manuel d'histoire de la littérature canadienne*, Camille Roy, tenant le milieu entre l'abbé Casgrain et le chanoine Lionel Groulx, présente la difficile généalogie de Nelligan, entre une mère canadienne-française et un père irlandais, en termes de mélange racial composé d'un élément positif, chrétien, radical et viril (Gaulois) et d'un élément négatif, païen, étranger et nomade (Celte) qui, l'emportant sur le premier, est la cause de la maladie du poète-rejeton. C'est ainsi que, pour Roy, Nelligan «porte en lui l'intelligence vive, la fougue robuste du Gaulois et le mysticisme rêveur des Celtes. Ce mélange s'exaspéra dans les caprices d'une adolescence indomptée qui ne pouvaient qu'ébranler la sensibilité malade du jeune homme». De sorte que, poursuit un peu plus loin Roy: «Sa poésie, sortie tout en fièvre de son imagination et de sa pensée, tient au tempérament surexcité, malade, du poète, aux tristesses qui l'accablent, aux désirs qui le tourmentent, *et nullement à nos traditions nationales ou religieuses*» (c'est moi qui souligne). Vous voyez peut-être un peu mieux le double trait que tire Roy de la folie de Nelligan: en tirant du côté de la mère, c'est le père étranger et baladeur qu'il rend responsable de la déraison du fils, et, du même coup, il sauve non seulement la bonne filiation (du côté de la mère), mais aussi cette transmission du lien social qui passe par les «traditions nationales et religieuses». La génétique explique tout; aucune raison de se gêner avec l'éthique. Du particulier au général, on ne souffre aucune exception: toute singularité est déniée. Je remarque en passant que c'est le schéma inversé que produira Groulx dans *l'Appel de la race*: le père canadien-français, fautif d'avoir disséminé sa semence et son nom dans une liaison contre-nature avec une étrangère protestante, se rachète en retrouvant ses attaches nationales et religieuses. Encore là le «national» passe avant le «religieux», ce qui veut dire en clair *que la religion supporte le nationalisme*[6]. Quoi qu'il en soit, Nelligan, soustrait de la bonne filiation par sa «névrose», est aussi en retrait de «nos» traditions: cette poésie n'est pas à mettre entre toutes les mains. Cependant, tout comme Groulx lui reconnaît du génie, Camille Roy ajoutera *sans gêne*: «Mais cette âme impressionnable que la névrose secoue et ébranle, est une âme d'artiste.» «Âme d'artiste», cela doit s'entendre au fait que sa mère était musicienne.

Les choses ne sont évidemment pas aussi simples. Écrire, pour Nelligan, tient du tourment, de l'exorcisme religieux. Quand il se déclare fou, c'est un saint qui parle au-dessus de l'abîme, un christ noir qui de sa naissance (à la Noël) fait son deuil: la perte intolérable du corps maternel. Cette mère qui se penche sur lui, s'épanche, pour surveiller ses faux pas, sa faute d'écrire. Comment pourriez-vous écrire, penché sur votre table, avec ce poids maternel sur les épaules? Contrairement au Christ, Nelligan n'a pu reconduire sa mère. Son drame, c'est d'être angéliquement envoûté par la musique de sa mère, c'est d'écrire *tout contre* sa mère. D'où le titre qu'il entendait donner à son premier livre: *le Récital des anges.* Dans ce drame religieux se glisse une affaire sexuelle: le tabou de l'inceste. Écrire consiste à sortir une seconde fois de la mère. Nelligan n'aspire qu'à y rentrer sans jamais plus en sortir: impuissance dans laquelle il se trouve de ne pouvoir être le père de sa mère, mais seulement le fils à qui la mère demande *de la boucler.* La «folie» de Nelligan, c'est quelque part l'*impasse* de la mère qui le coince et avec laquelle il coïncide. De cette enceinte, il ne peut plus sortir. La mère, pour Nelligan, c'est aussi bien la musique et la poésie que la mort et la folie: la mer qui *cause* le naufrage de qui croit, pour aller plus loin, la franchir sans précaution, sans respect. Selon la légende, Nelligan s'enfermait dans le ventre d'une église pour réciter des fragments de vers en langues étrangères. Du fond de ce trou qu'il bouche, il s'écrie: «Ma pensée est couleur de lumières lointaines,/Du fond de quelque crypte aux vagues profondeurs.»

Nelligan porte, à son point sublime, le deuil insurmontable d'une mère ou d'«une sœur d'amitié», mais pour se laisser déporter sans recours par le chant de la mélancolie qui l'appelle à la noyade. «Deuil et mélancolie», c'est le titre d'un texte de Freud qui est aussi le commentaire analytique de ce qui se passe comme impasse chez Nelligan. Je n'entrerai pas dans les détails, mais je me contenterai de laisser flotter ce fragment quant au processus, que dégage Freud, concernant «l'accablement mélancolique» et qui absorbe si profondément Nelligan au point de nous le rendre si énigmatique et encore «illisible».

«Il existait d'abord un choix d'objet, une liaison de la libido à une personne déterminée; sous l'influence *d'un préjudice réel ou d'une déception* de la part de la personne aimée, cette relation fut ébranlée. Le résultat ne fut pas celui qui aurait été normal, à un nouvel objet, mais un résultat différent, qui semble exiger pour se produire plusieurs conditions. L'investissement d'objet s'avéra peu résistant, il fut supprimé, mais la libido libre ne fut pas déplacée sur un autre objet, elle fut retirée dans le moi. Mais là elle ne fut pas utilisée de façon quelconque: elle servit à établir une *identification* du moi avec l'objet abandonné. L'ombre de l'objet tomba ainsi sur le moi qui put alors être jugé par une instance particulière comme un objet, comme l'objet abandonné. De cette façon la perte de l'objet s'était transformée en une perte du moi et le conflit entre le moi et la personne aimée en une scission entre la critique du moi et le moi modifié par indentification.»

Relisez, par exemple, ce petit *roman noir* qu'est «Le suicide D'Angel Valdor». Ou encore ce «Rêve d'une nuit d'hôpital» dans lequel Nelligan, après avoir évoqué en vision l'irruption d'une musique céleste jouée devant la sainte famille, insiste sur l'état de purgation auquel il devra parvenir avant d'achever son séjour dans l'enfer de l'hôpital, s'il veut assister en son paradis au prochain récital des anges que la *sainte* lui donnera:

«Je ne veux plus pécher, je ne veux plus jouir,
«Car la sainte m'a dit que pour encore l'ouïr,
«Il me fallait vaquer à mon salut sur terre.»

J'avancerai ceci: que si Nelligan se laisse interner, c'est pour être *mieux* materné.

Il est intéressant de noter que dans le cas de Nelligan, comme celui de Gauvreau, c'est un écrivain devenu psychiatre qui prendra en charge leur cure, leur maternage dans la langue qu'ils ont perdue.

Nelligan, complètement absorbé par ce récital angélique entre une mère intouchable et son fils, accompagne sa folie en perte d'identité: «Ma mère est folle et je suis fou/Et je m'en vais j'on ne sais où.» L'écrivain *s'autorise* d'une mère qui, en retour, exige de l'auteur qui la lie et la délie dans la chose écrite, qu'il soit fou à lier. Mélancolie de Nelligan dans l'ombre de sa mère.

Madame Nelligan[7] ne verra son fils qu'une seule fois à l'hôpital pour s'entendre dire: «Maman, tu sais ces vers qui t'ont fait pleurer? Je les regrette, je les répudie. Mère, dis leur bien à tous que je les ai reniés. Demande à ces amis qui les ont lus de les oublier; à ceux qui en gardent la copie de les brûler. Émile Nelligan ne veut pas les avoir écrits. C'est mon testament à Dieu et ma réparation à toi.» À une *dévoration* impossible du corps maternel comme objet d'amour se substitue une *dévotion* sans bornes par laquelle Nelligan achève de se perdre en elle jusqu'à l'autodafé.

Si Nelligan se fait mythiquement réciter du côté de la mère, nous n'avons plus à être les gardiens de ce mythe.

Sous cette forme quelque peu abrupte, voilà à peu près ce que j'avais à vous faire entendre de cet *autre* Nelligan. Je vous demande d'y réfléchir un peu, sachant qu'il n'y a rien dans cette avancée que j'ai tentée qui puisse vous convaincre et, encore moins, vous satisfaire. Il me semblait important de revenir, par cette diagonale entre Nelligan et Groulx, sur cette crise identitaire qui, si elle vient à se fixer, se ligue contre tout élément qu'elle rend responsable de cette division, de ce mélange, de cette atteinte à sa substance. Quand la folie, en toute raison, se fait délire raciste.

Écoutez, par les temps qui courent, les rumeurs autour de vous. Et, s'il vous reste quelque force, essayez de saisir ce qui monte en vous et se ligature sur le bout de votre langue — enfin prêt à exploser.

Le peu de morale de l'écrivain, c'est sa façon à lui de ne pas se faire ligoter par un dire *terré* et *atterré* qui attend que «quelque chose» passe pour y couper court, de vouloir tout préciser sur la lettre et la loi et tout détacher dans la lettre de la loi, en insistant sur la *fonction éthique* qui le travaille dans une langue en absence d'elle-même. Par ce droit d'exception dont il use, l'écrivain est, sous tous les régimes, un élément refoulé ou exclu.

Nelligan, à qui le temps a manqué et qu'on a vite soustrait à ce temps trop dangereux, est né la même année que Einstein et mort la même année que Joyce. Il faut poursuivre les migrations, sortir de notre *Nelligan's fake*.

Un dernier mot que je laisse en toute déshérence à Hölderlin afin de me résumer: «Mais ce qui est propre doit aussi bien être appris que ce qui est étranger. (...) le *libre* usage de ce qui nous est *propre* est ce qu'il y a de plus difficile.»

La difficulté de Nelligan à user du propre de son nom dans la langue qui le détient, porte au moins l'indication de ce que le porteur d'écrit doit faire l'épreuve: le passage de l'identification au principe de sa dissolution, du *fake* au *wake*. Quelque part Nelligan, par aphasie, reste coincé entre les deux. Il n'a pu se défalquer, se couper du faux. Il a pris l'étranger pour du propre, alors qu'il n'était que le plus familier à son pire.

Le *wake* de celui qui écrit: veiller à perdre son nom dans le réveil du Nom. C'est passer de l'épiphanie à la résurrection où, à la fin, la mère est déposée. Comme *im*posture, comme déplacement continu, c'est la plus difficile traversée. *Littérature*, ça s'appelle, en s'émettant dans toutes les langues.

Communication faite au Salon du Livre de la Place Bonaventure en décembre 1979, à l'occasion du Centenaire de la naissance de Nelligan. Publication: *La Nouvelle Barre du Jour*, no 104, juin 1981.

---

1. Comme le souligne Roland Barthes dans *le Plaisir du texte* à propos des analyses socio-idéologiques pour qui «l'œuvre serait finalement toujours écrite par un groupe socialement déçu et impuissant, hors du combat par situation historique, économique, politique; la littérature serait l'expression de cette déception» — l'analyse socio-idéologique étant incapable de prendre en compte «le formidable envers de l'écriture», c'est-à-dire son niveau de *jouissance*.

2. Cf. notre «Surjet» dans *Change*, no 36, novembre 1978, p. 131-135.

3. Je reviendrai sur cette question d'un fascisme *québécois* dans un prochain livre — *l'Idéologie québécoise*.

4. Sans cependant pouvoir faire l'*épreuve du propre*, c'est-à-dire en supporter l'énonciation dans une stratégie d'écriture.

5. Dans ce qui se prend actuellement au Québec pour le texte d'avant-garde, nous assistons à un retour de la citation d'autorité et sa répitition grégaire. Recours à l'assertion d'un code au lieu de sa mise en question. Vision formaliste qui réduit son champ d'exploration à sa plus simple notation (le plus souvent anecdotique). Poésie qui accepte la poésie, se contente de la poésie. S'esquiver et se déplacer à travers tous les courants de langage, faire entendre un peu de dissonance, forcer les résistances, refuser l'amnésie, innover en se riant de toutes les surveillances, c'est ce que j'appelle l'*im*posture.

6. Le nationalisme, avec Tardivel et Groulx, se définit comme une guerre de religions où le principe religieux détermine un comportement national. S'il est possible de dire, aujourd'hui, que ce fanatisme religieux a été abandonné ou qu'il a cédé sa place à une idéologie nationale plus séculière et laïque (qu'on a appelé la Révolution tranquille), il ne faudrait pas s'aveugler sur le fait que le principe national — comme exaltation de l'appartenance à un ensemble — repose entièrement sur un comportement religieux qui, même refoulé, ne cesse de faire retour dans la langue de bois, intraitable, de son discours.

7. Qui, me le rappelle François Charron, se prénommait: *Émilie-Amanda*.

Parler en langue(s)

Le mot révélation, entendu dans ce sens que tout à coup «quelque chose» *se révèle à notre vue* ou *à notre ouïe*, avec une indicible précision, une ineffable délicatesse, «quelque chose» qui nous ébranle, nous bouleverse jusqu'au plus intime de notre être, — est la plus simple expression de l'exacte réalité. (...) Tel un éclair, la pensée jaillit soudain avec une nécessité absolue, sans hésitation ni recherche.

Nietzsche

Je ne sépare pas ma pensée de ma vie. Je refais à chacune des vibrations de ma langue tous les chemins de la pensée dans ma chair... Il y a *un esprit dans la chair*, mais un esprit prompt comme la foudre.

Artaud

L'instant d'inspiration est une étincelle si brève qu'elle en est invisible. (...) C'est l'instant où le mot se fait chair. (...) L'art a le don des langues.

Joyce

I

Nous en sommes, paraît-il, à l'heure d'un choix décisif: être ou ne pas être «québécois», voilà l'épuisante question. Il y a tellement longtemps que cette question trotte dans les têtes qu'aucune réponse jusqu'ici ne l'apaise et il est fort à parier que le référendum à venir ne mettra pas fin à l'attente. Entre mourir et dormir, il est préférable, comme pour Hamlet, peut-être, de *rêver*. Le rêve est singulier, jamais commun, intraduisible, toujours à cheval entre au moins deux langues. Mais quand le rêve se fait (en) commun, il pétrifie, s'enlise, expulse tout signifiant étranger, délimite sa langue en appel de haine, frôlant ainsi le cauchemar. D'où le retour, favorisé ces temps-ci, de quelques revenants, anciens garants de l'existence auto-déterminée de la communauté. Et voilà que dans le rêve vous assistez, muets, à la remontée triomphale de Duplessis avec la bénédiction paternelle de Lionel Groulx.

Qu'en est-il de la littérature? Sur le plan de l'institution, elle est toujours à sa place, lettre morte dans la poche de tout professeur supposé la détenir. Sur le plan de l'écrit, il faut bien constater, malgré un moment d'euphorie, que ça ne cesse pas de ne pas s'écrire. Quand il y a tentative d'écriture, ça fait aussitôt barre sur le corps, le sexe, la langue, chacun prenant plaisir à son morcellement d'autosatisfaction sans qu'il y ait trace d'affrontement avec ce qui se ligature comme résistance, sans qu'il y ait forme d'un savoir de la division. Tout est permis dans le *semblant*, surtout les pseudo-transgressions. De plus, personne n'a encore très bien saisi que cette décennie qui s'achève dans l'enlisement le plus régressif est marquée par le double suicide de Claude Gauvreau et de Hubert Aquin. Il y a là l'enjeu d'expériences maximales dont nous refusons d'interroger les limites parce qu'elles choquent notre confort intellectuel qui, lui, n'a rien à voir avec cette vérité en souffrance de celui qui prend le risque d'en épuiser le parcours. Et pourtant, si ce qui nous rassemble ici est notre intérêt pour la littérature, nous avons donc à tenir compte de leur souffrance et à répondre de notre impuissance face à ce qui les dévore.

Aquin et Gauvreau, deux écrivains à qui je dois un certain dégel, le moment de passage de la veille au réveil. Deux voies dont l'accès n'est pas identique, deux manières d'être possédé et d'accomplir l'acte de parole qui les délivre de leur possession. Si je dresse une scène possible de leurs effets de fiction, j'obtiens les contours suivants: Aquin c'est Nabokov travaillé par Joyce alors que Gauvreau c'est Artaud visité par Kafka. Ce qui vous donne, si vous calculez bien, un Russe traversé par l'Amérique, un Irlandais qui l'était trop, un Français qui ne voulait plus l'être, un Tchèque en quête de sa judaïté dans la langue allemande, et deux Québécois qui, sans l'être encore, ont franchi des frontières en toute connaissance de ce qui se déplace et de ce qui est transgressé, repoussant chaque fois les limites reconnues. Mais j'ajouterai, pour compliquer un peu les choses, qu'Aquin se joue dans le procès de Kafka et que Gauvreau pratique le sillage de Joyce. C'est vite dit, je le sens bien, mais parfois le raccourci a quelque chose d'éclairant dans le dévoiement des rapports inattendus. Quoi qu'il en soit, sans vouloir mettre les bouchées doubles, il ne sera question pour cette séance que de la perturbation radioactive de Claude Gauvreau en tant que retombées d'une crise de la vérité du langage.

La dernière guerre aura donc permis au Nouveau Monde — suite à cette crise des nationalismes à l'échelle mondiale (fascisme, stalinisme) — de procéder, par abréaction au charnier qu'était devenu l'Europe, à une certaine libération des corps. Cette libération commence par l'espacement muet de la couleur entraînant le corps dans un processus gestuel de détente monumentale et démesurée (anaphorique). Cet effet de peinture, enregistré séparément par Borduas et Pollock, à partir d'une interprétation *en acte* de l'écriture automatique des surréalistes — eux-mêmes temporairement de passage en Amérique sans rien voir évidemment — cet effet de peinture, donc, va produire par extension la venue de Gauvreau à l'écriture. Si j'insiste tant sur ce rapport entre la peinture et la dernière guerre dont elle tient le discours pour une aberration du visible, c'est que la peinture prend la littérature en flagrant délit de manquement à sa parole, toute occupée qu'elle est à faire cause commune avec la fixation nationale dans le coup d'arrêt du langage. À une exception près, celle de Saint-Denys Garneau qui, justement, a touché à la peinture et, comme écrivain, n'a eu d'autre choix que de s'éclipser. Pas étonnant, alors, que ce soit par lui — *figure du vivant* — que Gauvreau amorce l'un de ses premiers écrits publiés.

Il n'est pas surprenant d'assister présentement, une fois passé l'effet de fascination de son suicide, à une dénégation généralisée de l'écriture de Gauvreau, à cette fureur de ceux qui ne lui pardonnent pas encore d'avoir joué de cette crispation infinie du lisible toujours en avance sur le temps attardé de la lecture. Un texte, à produire sa théorie comme loi de sa fiction, nous confronte à nos propres limites, c'est-à-dire à la résistance et à la peur que nous lui opposons d'être ainsi pris au dépourvu devant sa logique. D'où le réflexe de réduction en retour et qui n'est rien d'autre que ce refus obstiné d'écouter *autre chose* dans la langue qui nous échappe, croyant la surveiller de près alors qu'elle parle *à notre insu*. Ce que vous appelez, par exemple, l'illisibilité de Gauvreau (le nom pour le texte), n'est somme toute que l'incapacité ou l'impuissance à entrer directement dans son texte en le laissant venir à vous, que l'impossibilité dans laquelle vous vous mettez *de changer de langue*. Là où tel texte sollicite, dit ce qu'il en est du rapport comme sujet parlant à la langue, à la communauté, au monde, Gauvreau introduit *en plus*, par exploration des différentes couches d'air et d'énonciation, la permanence d'une commotion — pratiquement épileptique — qui ébranle le circuit du corps parcouru par les secousses d'une pensée prenant le mors aux dents de sa langue. Un exemple parmi mille: «Les bestors ont acclamé ces bourrasques qui décrochaient le crâne au moment où la pensée allait scintiller comme un transport d'électricité: agazul souli salub mèch.» Pour saisir à vif, si vous n'êtes pas de l'ordre de ces bestors de l'électrochoc, les fréquences et les perturbations radioactives d'une telle écriture, il faudrait vous brancher sur un oscillographe.

Ce que Gauvreau dramatise, en faisant constamment retour sur sa biographie comme effet de réel dans l'écrit, c'est le passage à la limite du sens volumable en langues. Le fait de quitter constamment cette monolangue maternelle et morte qui s'appelle la langue française toujours en train de se prendre pour la *vraie* mère[1], lui permet d'osciller insensément entre un matricide à perpétrer et la folie que la mère réclame contre qui attente à son corps. «À l'origine, dit Freud, l'écriture était le langage de l'absent, la maison d'habitation, le substitut du corps maternel, cette toute première demeure dont la nostalgie persiste probablement toujours, où l'on était en sécurité et où l'on se sentait si bien.» Avec sa respiration retrouvée mais inquiétante à travers le déferlement d'ondes vocales multipliant leurs reliefs, Gauvreau opère une sortie du *lieu commun* (de l'espace maternel) comme préalable absolu à toute sortie: «Avant de naître je m'étends dans l'infini.» Mais d'avoir dû sortir de cette «mèmerdaille» pour naître sous la pression de la mère vécue comme un viol, Gauvreau entre dans une consumation infinie («pyromance») entraînant avec lui le temps des langues.

Le texte de Gauvreau frôle constamment le récit psychotique, mime la schizophasie: glossopoïèses, glossolalies, logatomes, paralogues, paraphasies, néologismes, mots-valises, télescopages de sens, onomatopées, incantations, etc. avec expansion des thèmes de prédilection: la religion, le travail, la sexualité, la femme, dont il redouble les impostures dans une «conception» de l'universel en tant que détachement de toute «nature» qu'il laisse singulièrement tomber. Il appelle ça le *langage exploréen* qui se donne comme une *Weltanschauung* radicalement autre, «moniste», baroque, et, de ce fait, anachronique, mise en fiction d'un *autre monde* (d'où la référence constante de Gauvreau à Cyrano de Bergerac) où se dissout tout rapport de pouvoir que commande la communauté dans son maintien de la Loi dont le code la nie autant qu'elle le dénie: «On se demande si le destin réel des hommes n'est pas de vivre dans la fiction et la poésie, et si le seul moyen de ne pas vieillir n'est pas d'habiter cet écrin protecteur que tisse la réinvention imaginaire du Monde. Qui peut habiter un monde créé par l'homme, n'a pas à se recroqueviller pour forcer une entrée dans celui qui nie ses besoins et ses désirs.» Ainsi Gauvreau laisse-t-il revenir, par parodie et à travers les dénouements rapides et saccadés de l'écrit qu'il pratique, des tas d'ennemis qu'il débusque et cogne (cf. par exemple «Ode à l'ennemi»).

L'instrument (au sens musical du terme) choisi par Gauvreau pour cette application-dissolution de traces mnésiques, biographiques, sexuelles, linguistiques, c'est l'écriture automatique, mais obstinément saturée-répétée par lui à perte de vue. Afin de ne pas tomber dans ce rappel inutile à Breton, l'écriture automatique telle que pratiquée par Gauvreau[2] consiste en une *tachygraphie*: accélération du rythme cardiaque des battements de l'écriture. Flux et reflux phonétique dont l'inscription exacte prend de court, à chaque instant, le temps commandé par la langue[3] — à travers l'appareil vocal et les tessitures de sa profération — pour épuiser ses batteries: «couleur, vigueur, originalité extrême, cocasserie, innovation catégoriquement osée, extravagance, excès, invention sans limite, unicité» — telles que Gauvreau les énumère. Délivrance des lettres et des sons dans les syllabes et dans les noms en état de perpétuelle déclinaison qu'aucune langue ne clôture. Ce qui amène Gauvreau à suspecter l'*utilisation* par les surréalistes d'un pseudo-automatisme psychique, exerçant sur leurs productions un contrôle esthétique, «car l'automatisme psychique quand il est poussé à fond, tel que j'en fais personnellement l'expérience, finit toujours par donner uniquement des syllabes». Des syllabes, encore des syllabes, qui s'agglutinent, se télescopent, déversent leurs vagues sonores sans fond et déchaînent leur infinité signifiante *dans le réel* qui en garantit l'expérience. L'automatisme «inspiré», mettant la volonté au service de la rigueur, exige de la part de celui qui le pratique activement d'*être réaliste*. Gauvreau «réaliste», vous n'êtes pas sérieux? Je ne répète pourtant que ce que dit Gauvreau qui, lui, a constamment affaire au réel. «La réalité, c'est le singulier; et le réaliste est celui qui manifeste une disponibilité constante au réel et qui est capable de vivre sans cesse dans le singulier.» La singularité de Gauvreau, justement, c'est de montrer comment le monde (tout le monde) se vit comme une illusion au point d'y croire, d'où son réalisme qui consiste à adopter le meilleur point de vue possible sur le monde pour dire cette illusion dont il est l'effet et cette horreur qui le traverse. Ce qui n'est possible que si quelqu'un se met hors-monde, parvient à ce point de *détachement* absolu où ce qu'il dit s'affronte constamment à la mort au travail dans le monde. *Au risque de consentir lui-même à la mort.*

Évidemment, ça frise le délire: de lapsus en collapsus, morçures de la langue dans un corps emporté-emballé. «Je partirai dans la langue de nuit.» Voyage au bout de la langue, en rêve, mais d'un rêve dont on ne revient pas, interminable dans sa traversée comme la nuit. Polyglossie, course à travers la nuit d'encre des langues qu'elle sollicite au risque d'une hypoglossite aiguë. Qu'est-ce qu'écrire dans la langue de nuit en y faisant remonter la claire obscurité de ce qui, du côté de l'inconscient, se manifeste? C'est accepter de faire du champ de la langue le lieu d'une mutilation que le corps supporte dans sa chair et jusque dans ses entrailles d'où vibrent les «voix de ventriloque». C'est éprouver la pensée «comme une blessure sanglante» afin de «permettre l'envol fulgurant du désir volcanique».

D'où la définition, je dirais, *sémiotique* que donne Gauvreau de la poésie, ouvrant un procès symbolique dont elle casse chaque fois le jugement (la fixion du sens). «La poésie, c'est la syllabe qui tonne. C'est le mot qui chahute, c'est la lettre qui explose./Tout ce qui bout à l'intérieur est projeté dans les évidences du rythme./ Les syllabes amalgamées et vociférantes sont des trous de serrure qui divulguent la vie intérieure la plus fondamentale.» Cette sémiotique se fonde donc sur la position première des syllabes et leur libre disposition qui détermine, dit Gauvreau, des «valeurs» par rapport aux lettres («atomes») et aux sons («teintes»), alors que les mots en répercutent les bruits[4]. De sorte que chaque «syllabe qui tonne» est porteuse des «évidences du rythme» lorsqu'elle entre dans un processus continu d'alliage et dans un état de pro(li)fération avec d'autres syllabes afin de manifester un état intérieur de possession (jusque-là sous-trait). Voici mon hypothèse: il faut rapprocher cette sémiotique de Gauvreau de l'atomisme indien (le *Vaiśeṣika*) ou de la philosophie de la grammaire de Bhartrhari qui était aussi appelée «*monisme* de la parole», d'autant plus que ces théories s'appliquaient non seulement à la parole révélée des textes sacrés (dont

Gauvreau était lecteur) mais aussi au théâtre (et à sa scénographie)[5]. Au départ, il y a la position des germes, *bîjas*, qui sont aussi des syllabes-germes et d'autre part la définition du *sphoṭa* qui est la forme fondamentale, interne, de la parole (son invariant sonore), littéralement «ce qui éclate», alors que les *dhvani* — résonance — représentent les variations individuelles qui affectent le *sphoṭa* dont la manifestation éveillée (*abhivyakti*) se traduit (de l'inaudible à l'audible) par une illumination (*pratibhā*). Ainsi le *dhvani*, comme fonction poétique de la parole, est porteur de tout ce qui dans le texte est suggestif comme acte de parole en tant que connaissance immédiate et s'adresse directement à l'intelligence (au psychisme) de l'auditeur sous la forme d'une émotion partagée et d'un plaisir esthétique — *rasa*.

Comme pour la poésie de Gauvreau, tout se révèle en fonction de l'écoute, *en vue* de l'audition: une *audioscopie*.

II

L'écriture de Gauvreau, produisant une multitude d'effets desquels elle ne dit rien, nécessite une audioscopie: la prise en considération de cette propriété qu'a l'écrit de faire entendre autre chose que ce que vous en lisez.

Par exemple: «Œil/furtif/Glaizée/glozzère.» D'un coup d'œil à la dérobée, vous venez de changer de lexique, entre ce qui était caché et ce qui reste imperméable. Il est possible d'y entendre, en même temps, une boutade à l'endroit d'Albert Gleizes.

Comme le confiait Gauvreau lors d'une entrevue: «Il y a des tas de sous-entendus dans chaque mot que j'ai écrit.» De sorte qu'à une tachygraphie — cette course folle dans une langue nouvelle — il faut brancher une *stéganographie*: soit une écriture à mots couverts, secrète, serrée, énigmatique, hermétique peut-être mais *non occulte*, imperméable à l'analyse, indécidable à la traduction, demandant le branchement d'une oreille patiente.

Cette stéganographie porte l'empreinte d'un *toit*: «le toit du sujet hétérogène, unité impossible»[6]. Sur l'un ou l'autre versant de ce toit, s'aventure la pensée de Gauvreau — le pas à pas de sa pensée en division dans la contradiction — entre le risque et le vertige d'une chute dans le vide (suicide) ou dans la folie (psychose), sa pensée s'ouvrant comme un volcan en éruption. Les sous-entendus qui travaillent chacun des mots de sa pensée dans l'anéantissement de la pensée, sont de l'ordre de la «biographie» au sens que lui confère Baudelaire: «La biographie servira à expliquer et à vérifier, pour ainsi dire, les mystérieuses aventures du cerveau.»

Calembours, paragrammes, brimborions, lapsus, jeux de mot, télescopages, interjections, glossolalies, onomatopées, borborygmes et leur *débordement*: tout ce qui sort et se répand, parlant dans la perte, c'est du travail dépensé dans la langue. Tout se passe dans la langue, mais comme s'il y avait dévoiement de la langue, comme s'il y avait au moins deux langues en affrontement («bilinguisme» minimal de Gauvreau): l'une apprise, fixée, rigide, *langue morte* imposée, récitée à la française, et une autre ventriloquente[7], agitée, qui vient du corps et fait irruption dans la première comme une lame de fond pour la découper et la pulvériser («syllabe au sens fauché»), lui faire dire ce qu'elle ne dit pas et ne peut pas dire par l'oralisation d'un dialecte privatif. De ce que la première ne veut pas dire afin de ne pas lâcher le morceau, la seconde lui advient par en dessous et en surplus pour en lever l'interdit et rejeter toute prévention.

«Tous mes objets, les plus non figuratifs y compris,

sont parfaitement connaissables et assimilables. (...) Mes objets ont un rythme, ils ont des proportions, ils ont une forme sensible; tout ce qui est sensible est assimilable par n'importe quel être humain autonome... *débarrassé des préventions* (je souligne) qu'implantent et alimentent les réactionnaires improductifs et sénilement cyniques.»

«La connaissance poétique d'un objet ne réside pas tant dans la capacité de savoir comment sa naissance fonctionne. Elle réside dans la capacité inénarrable de VIBRER à chacune de ses fluctuations, à chacune de ses épaisseurs et minceurs, à chacun de ses contrastes, à chacune de ses explorations, internes ou externes.»

Vous êtes aux prises avec du langage qui craque et qui cogne, qui vocalise ou hurle, du langage qui rejette les conventions d'une langue réglées par la grammaire et qui, de ce fait, refuse toute prévention contre lui. D'où le paradoxe: *ce n'est obscur que pour celui qui est sourd* devant cette «hétéronomie».

Gauvreau ne cherche pas à faire sens dans la pensée, mais à redonner un corps à la pensée; non plus un corps qui, ravi à la naissance, est articulé en fonction d'organes fermés répétant les mêmes gestes ou paroles, mais un *corps articulant*, rythmé et musiqué, qui force l'appareil vocal en vue d'explorer les différentes couches d'air de son énonciation, un corps gesticulant et dansant, dramatisé, animé et vivant, qui bat, pulse, vibre et exulte d'un seul jet à travers le «chant de la matière» concrétisé par le désir[8]. Par cette surrection du corps dans la pensée (cf. «Je I rize»: irisation d'un *je* qui s'infinitise en langues), se déploie une identité mobile, multipliée et singulière, inventant et produisant son propre instrument de composition dont il est l'interprète.

Parfois il vous faudra en passer par des régressions à un «baby-talk» («pipi par terre poppi panté pupi pantin») ou à une glossolalie invocante («Kalumass bossi /

buchic / Kalimullac bulic / bari / Kalimok mari mérik / mavrok»), à moins d'être précipité dans une cuve à développement où se manifestent des propositions en apparence logiques, mais littéralement «folles» et sans queue ni tête: «Les libertés de Giacometti exaltent le poète impie et, dans une joyeuseté de calembours et de brimborions, l'invention fuse et remplit la cuve immense de lézards hilares et de propositions sans contrainte.» Vous avez là, en clair, une proposition sur l'écriture où l'agitation de ces petits *animots* investit, pour le lézarder[9] (calembours, brimborions), le dispositif verbal de la phrase[10]. D'autant que, dans la zoopsie de Gauvreau, la schize que provoque le lézard (comme marque personnelle) s'oppose au mimétisme (impersonnel) du caméléon qu'il dénonce.

Réduisez l'image de cette cuve et vous obtiendrez le tête-à-queue de spermatozoïdes se démenant dans leur mort pour qu'un seul se reproduise. Agrandissez-la, au contraire, et vous plongerez au cœur d'une autre tourmente: «crocodiles enfantés par les mers ils agitent des pourceaux de paroles.» Dans cette affaire de «possession»[11] où l'hilarité cède tout à coup à l'agressivité, quelqu'un appelle sur lui les démons d'une communauté qui, le déchaînant, est pris au piège de l'envoûtement de n'avoir plus d'*autre* à qui communiquer cet innommable sinon sous la forme de déjections verbales («pourceaux de paroles», ailleurs: «paroles envenimées») qu'il débite (dans tous les sens de ce mot) sur l'étal de leur mixtion (cf. *Étal mixte*).

Le «monisme» de Gauvreau incorpore le *démonisme* dont il se délivre à travers l'effectuation singulière de son drame.

Au commencement étaient des agrégats de syllabes, sons, lettres, se mettant en branle dans les mots (concrets, abstraits) par association ou confrontation de leurs éléments verbaux. Gauvreau, dans sa fameuse *Let-*

tre à un fantôme du 13 avril 1950, circonscrit en ces termes *l'image poétique* qui est investissement et captation de libido produisant «un état psychique singulier», apte à traduire toutes «les nuances de la pensée». Dans cette chambre d'échos, il développe l'image poétique selon une partition à quatre registres, soit un tétrapode contre lequel se brise le langage dans son effectuation poétique.

À la base, l'image *rythmique*: enregistrement des «pulsations de la pensée» que traduit chaque son en tant que «convoyeur d'analogie». Il la dit *onomatopée*, à condition de ne pas réduire ce terme à une «imitation simpliste». Puis, l'image *mémorante*, composée par la comparaison ou la métaphore mais tendant à la *paronomase* pour autant que l'énoncé paronymique structure la fonction poétique (selon Jakobson). Succède l'image *transfigurante* qui rapproche, par-delà leur différence et même leur opposition, «deux idées» ou «deux impressions» très éloignées l'une de l'autre, soit l'*hyperbole*.

Ces trois opérations, se stratifiant à partir de mots quotidiens pris au langage courant, s'annulent dans l'image *exploréenne* qui en multiplie les effets: «Des bribes de mots abstraits connus, modelées dans une intrépide sarabande inconsciente.» L'imprévisibilité de l'image exploréenne, par pulvérisation-agglutination de bribes de mots, provoque «le déchaînement des signifiants dans le réel» (Lacan).

Le mot exploréen, s'il s'apparente en surface au néologisme et au mot-valise, est un *logatome*: «les éléments constitutifs des nouveaux éléments singuliers ne sont plus immédiatement décelables par une opération analytique» (du type de la linguistique ou de la psychanalyse).

Il s'agit d'une transgression interne de la langue en expansion dans toutes les langues qui présentent le moindre commun dénominateur pour traiter de leurs différences. «Plus le besoin d'expression étendue se fera sentir, plus la poésie sera contrainte de se servir d'éléments génériques agissant comme commun dénominateur à des multitudes de mots — et c'est précisément l'élément commun à chacun de ces mots, élément jusqu'alors, n'ayant jamais eu d'existence autonome, qui sera exprimé totalement, et dans ses relations avec d'autres éléments également substantiels et épurés.» Le plus petit dénominateur commun (syllabe, son, lettre) de plus d'un mot devient un multiplicateur d'effets de mot dans la langue, et même le multiplicateur d'effets de langue entre les langues.

Prenons un exemple simple de mot exploréen qui, pris dans le contexte de son énoncé, a l'avantage de montrer ce qu'il entrecroise dans le frayage de la langue: «et l'afghan aux muqueuses de gorille est le stéréoscope de mes jeux grammanaires». Le stéréoscope — instrument d'optique qui ouvre des «lucarnes sur l'infini» (Baudelaire) — donne la sensation de la profondeur et du relief à des images à deux dimensions se télescopant en jeux grammanaires. Dans *grammanaires*, vous avez la force active d'un «mana» qui fait irruption dans la «grammaire» (un mot en travers d'un autre), entraînant d'autres séries (gramma, man, air(e), mammaire, ma mère, nerfs, etc.) en référence aux mammifères (afghan, gorille): suite d'animots en course éperdue dans la langue, écriture nerveuse qui traverse avec animosité le corps de la mère et le code de la grammaire[12].

Onomatopée, paronomase et hyperbole de mots quotidiens en dérapage continu dans le logatome de l'image exploréenne («la caractéristique la plus marquée de ma patte», dit Gauvreau), forment un «tétrapode» qui relève d'une *tératogenèse*.

Cas d'espèce tératologique, le poème «I» («un», «je», «eye», etc.) se réduit à un seul mot dans la fuite à vide du vers qui le condense par déformation de mots:

«Thathamauzauskayakutès.» *What is that?*, me direz-vous[13]. Et vous aurez raison de commencer par le *ça* (that) de votre question quant à cette «chose» en excès qu'aucune réponse n'apaise. Impossible de savoir dans quelle langue parle ce *kakatoès*, perroquet à huppe érectile aux couleurs vives (Éros: I irisé), se dénombrant dans du signifiant déchaîné qui hurle à la mort (Thanatos).

Gauvreau travaille à bras-le-corps la langue française, au niveau des radicaux et des désinences, par modulation-altération d'ondes sonores qu'il capte du latin et du grec (formation classique), mais aussi de l'anglais, l'italien, l'espagnol, l'allemand.

Le feu des langues de sa Pentecôte explose dans une langue à la fois *cylindrée* et *écumante*: «Il pleurait *des cartouches de salive* (je souligne) sur la pentrixôcôte.» *Recharge* des batteries: «Mes cartouches sont des coups de poing» (dans un passage où il était question d'une «averse des signes»)/«et l'aube de nos frénésies encartouche la position du sursaut»/«Vive la vie habillée de cartouches!», sans oublier les cartouches d'encre que sont ses dessins. Jusqu'à la *sialorrhée*: «Je veux de la lucidité. Et j'en ai, pour nourrir toutes les nations. Pour diluer toutes les nations dans une salive de lucidité, une salive baveuse et colleuse, une salive amollissante, astringente, dulcificatrice, unifiante, égalisante, amollissante, adhésivissime. Je veux pétrir, dans une pâte d'adoration et de prosternation enivrée, toutes les âmes rétives au beau. Rétives au sublime qui n'est pas le dudu du rond-de-cuir.» Ajoutez-y, dans *l'Imagination règne*, cette mise en garde de «La Femme» à l'endroit de «L'Ego»: «Tu es encerclé de vomissures animales! Ton camarade, Paraclète, est un paranoïde complètement tordu!»

Hypersécrétion salivaire, indigeste et agglutinante, gommeuse et gommante, la Pentecôte de Gauvreau se transmet comme une jouissance *enlanguée*: synthétiseur de langues à partir de leurs constituants sonores (le plus souvent monosyllabiques). Dans un style étouffe-chrétien dont la liturgie est le plus souvent obscène, sa dimension prophétique déborde l'événement: exaltation scatologique et révélation cataclysmale plutôt qu'eschatologie et apocalypse.

Le Paraclet paranoïde se transforme en «Vulcain-Paranoïde». Mais ce moment paranoïde, au sens où cette parousie du Verbe de la Pentecôte s'effectue comme Loi du Père, éclate sous la pression d'un rythme schizoïde entrouvrant le passage aux pulsions. Effet de *ruption* sismique: l'engendrement tératogène des langues-montagnes de feu se produit par explosions internes, cartouches de salive projetées hors de la bouche d'un cratère et qui se répandent en lave visqueuse.

Gauvreau parle ainsi de sa «création» poétique comme d'une «audace imaginative» dont l'*esprit*, fureur du souffle et «qualité pensante de la matière», provoque «toute éruption de l'imagination»[14]. Sous le signe d'une voix qui crache son feu (*provocare*), «quelque chose» surgit verticalement et de manière intenable, entre abjection et frayeur, opérant une scission du corps et une fission de la pensée dans la matière en fusion et dont les retombées ne laissent sur leur passage qu'un paysage dévasté, expurgé et purifié, splendide et tragique, saisissant la conscience de tout spectateur. «Du volcan en éruption, les spectateurs ne connaîtront peut-être qu'une lave refroidie. Mais cette lave aura une configuration d'une splendeur impérissable.» Ce qui se donne à voir *à froid* peut être ranimé et, comme le volcan qui lui a donné naissance, doit être branché sur son audition afin de retrouver toute la force de ce qui, si vous me permettez cette pirouette, *saut-dit* de bouche à oreille.

Volcan en éruption: l'insistance de cette métaphore[15], par l'activité débordante et l'émission multiple de signes qu'elle fusionne, n'est rien d'autre que la mise en scène chargée et impétueuse de la *langue exploréenne* qui se désigne elle-même, rejetant au-dehors le contenu de ses entrailles, perturbant l'identité du sujet qui y souscrit et qu'elle ébranle jusqu'à la commotion cérébrale (perte de connaissance et amnésie). Il y a, dans l'écriture de Gauvreau, la présence intempestive d'un dieu du langage qui, toujours expirant à travers la *ruah*-ruade de son souffle créateur, se signe de l'*inconscient*: connexions du signifiant en train de délivrer le serpentin de ses lettres sous la pression du magma des pulsions innommables. «Pour aller plus creux dans l'inconscient, pour dynamiter certaines barrières apparemment infranchissables, il faut précisément toute la commotion du volcan émotif./Sans aucune sorte d'idée ou de méthode préconçues, permettre l'accroissement d'une forte émotion qui vienne ébranler et affoler toutes les murailles de la cervelle, et alors, inscrire successivement tout le *chaînon un* (je souligne) qui viendra se dérouler en reptile ininterrompu (jusqu'au sentiment de plénitude), voilà le moyen de mettre au jour des cavernes et des replis que le ronron de l'inconscient superficiel ne permet pas de soupçonner. Tel est l'automatisme surrationnel./Il y a plusieurs épaisseurs et couches dans l'inconscient.» S'il y a une unité provisoire qui lie la pulsion à la chaîne signifiante qu'elle excède, permettant ce «sentiment de plénitude» par lequel un sujet s'identifie à l'objet de son désir, elle ne met pas un terme à la tension du langage dont la motilité reptilienne (et, faudrait-il dire, intestinale) secoue à nouveau l'identité subjective et la remet en mouvement. Cette traversée, insaisissable pour la plupart d'entre nous, exige de la pensée à celui qui l'effectue au point qu'il risque de se perdre dans sa pensée en la déployant. Car ce qui est en jeu et à l'épreuve dans l'expérience de Gauvreau, ce n'est pas tant le fonctionnement ou les opérations de la pensée que l'effusion d'une pensée vivante qui a choisi son langage et dont les artères éclatent *en toute connaissance de cause*. «La pensée trouve toujours à s'exprimer d'elle-même, par ses propres outils inventés, lorsqu'elle est assez passionnée et dynamique pour être éprouvée comme *une blessure sanglante* (je souligne). La perplexité au sujet de la disposition des mots est le lot de ceux qui ne sont pas assez puissants ou qui sont trop timides pour permettre l'envol fulgurant du désir volcanique.» La fulgurance d'une telle pensée hétérogène, illimitée quant à son invention et son innovation, n'a pas d'autre extériorité qu'*interne* au procès qui la déplace entre pulsion et signifiant. Cependant sa négativité subversive entraîne en retour une fin de non-recevoir de la part de ceux qui, tels les moqueurs de la Pentecôte, ne reconnaissent dans la disposition apparente et insolite de ces signes que la marque d'une folie. Gauvreau requérait une logique *autre* (surrationnelle) que celle de la raison pour juger de sa pratique de langage et, s'autorisant de Freud, rappelait que le fou «était simplement victime d'une utilisation différente des mêmes éléments de base»[16]. Il passera ce qu'il lui reste de vie à maintenir, malgré les internements et les électrochocs, les contradictions productives d'une *œuvre* risquée et dynamique afin d'échapper à la folie.

Cette théâtralité de l'écriture de Gauvreau, au croisement du souffle et du soufre, met en scène la projection d'un état de souffrance ou, si vous préférez, l'écriture *est* cette souffrance d'un corps en souffrance (de l'autre). Écoutez Donatien Marcassilar dans *l'Asile de la pureté*: «Je divague./Et puis? As-tu songé à quelle densité, à quelle vibration essentielle, à quelle profondeur noirâtre et séchée la divagation se référait?/C'est le fond de mon corps, c'est le fond de mon être, que je livre. C'est le fin fond./Vous n'avez que des oreilles de bourgeois. Il faudrait des ouïes d'ange. (...)/Je meurs! comme un dieu lassé de ne pas exhaler.»

L'écriture de Gauvreau est *communication* avec l'autre, à condition qu'il n'y ait pas refoulement de l'inconscient.

Qu'est-ce que le langage exploréen? Un coup de foudre, «l'averse des signes», «la commotion du volcan émotif».

Qu'est-ce que l'automatisme? «L'exploration du dedans», «la sensibilité à nu».

Qu'est-ce que le réel? L'impossible de la poésie: «L'impossible est pensable. La résignation n'est pas pensable.»

Penser l'impossible de la poésie dans le réel, «voilà ce qu'il pense, le catalyptique!»

Le catalyptique? Ce penseur de l'abîme brusquement pris de saisissement (catalepsie) au moment de réussir une dissolution (catalyse) dans «une pensée sans vêtement»[17].

Témoignage de l'*humour noir*: «Claude Gauvreau. Personnalité faible, queue molle, langue fourchue. Aime écrire.»

Ce texte condense l'essentiel de deux conférences consacrées à Claude Gauvreau, la première au Centre des études québécoises de l'Université de Montréal (janvier 1979) et la seconde au Musée de Québec (mars 1979).

---

1. Pour Gauvreau, toutes les langues sont mortelles. Qu'une langue soit menacée d'aliénation ou de disparition ne change rien pour celui qui parle en langues: «Il me faut spécifier que je résiste de toutes mes forces au complexe tentant du colonisé qui, pour défendre une langue (très réellement menacée par un impérialisme envahissant), est porté à la scléroser pour la rendre plus coriace (ce qui, au contraire, catastrophiquement, est un moyen sûr de lui interdire la possibilité créatrice).»

2. Cf. notre travail sur l'automatisme: *la Désespérante expérience Borduas*, Les Herbes Rouges, nos 92-93, 1981, ainsi que l'édition annotée des écrits de Fernand Leduc, *Vers les îles de*

lumière, Éditions Hurtubise/HMH, 1981. Je me contenterai de résumer quelques points de repère. Il faut considérer le mouvement automatiste surrationnel: 1) comme un moment de rupture unique au Québec et en fonction de l'activité picturale, sur le plan international, en particulier l'expressionnisme abstrait; 2) comme exploration, expérience et pratique de la théorie de l'écriture automatique de Breton qui, jusque-là, n'avait pas reçu de confirmation effective (surtout en peinture); 3) contre la récupération qu'a tentée Breton du mouvement; 4) en fonction des deux pôles d'exclusion que constituent, par rapport au surréalisme, les noms de Bataille et d'Artaud; 5) par rapport à Lautréamont et au retour du baroque (contre la Renaissance surréaliste).

3. «En automatisme, il est impossible de ne pas tenir compte du temps./L'automatisme est une course ininterrompue entre l'inscription rigoureuse et l'épuisement. Si par malheur l'épuisement vient à gagner la course, la faillite est irréparable./L'inspiration peut s'étendre sur un laps de temps capricieux. Il n'y a pas de chance à prendre. L'objet doit être terminé avant le refroidissement de l'impulsion./L'instrument le plus rapide pour chaque opération nécessitée sera donc utilisé» (*Lettres à un fantôme*, 10 mai 1950).

4. «Il n'y a pas de syllabe qui ne soit la partie intégrante d'une *avalanche de mots*. Ce que cette syllabe représente, c'est précisément ce qu'il y a de commun chez chacun de ces mots. (...) Où il y a syllabe, il y a langue courante; où il y a langue courante, il y a tangibilité» (*Lettres à un fantôme*, 13 avril 1950).

5. Je reviendrai sur cette hypothèse de rapprochement dans l'édition critique des *Lettres à un fantôme* de Gauvreau que je prépare actuellement.

6. «La notion de négativité garde l'empreinte d'un 'toit' qui se constitue déjà avec la constitution de la fonction symbolique comme fonction d'un sujet, et dont les textes d'Artaud font éclater le procès de production pulsionnelle: le toit du sujet hétérogène, unité impossible» (Julia Kristeva, «Le sujet en procès», in *Polylogue*, Seuil, 1977, p. 64).

7. À la manière de Joyce: «evocation of the doomed but always ventriloquent Agitator», dont l'écoute exige une «aural eyeness».

8. «Dans ma pensée, 'forme' et 'style' sont à peu près synonymes: la forme est la disposition involontaire et inévitable de la matière à la suite *de la lutte passionnée* (je souligne) entre matière inerte et désir.»

9. Lacan: «La parole en effet est un don de langage, et le langage n'est pas immatériel. Il est corps subtil, mais il est corps. Les

mots sont pris dans toutes les images corporelles qui captivent le sujet (...) Bien plus, les mots peuvent eux-mêmes subir *des lésions symboliques*...» (je souligne).

10. Une grande partie du texte «lisible» de Gauvreau est construit sur le même modèle phrastique. La phrase — le plus souvent simple (sujet, verbe, prédicat), à construction prédicative (*être*) ou transitive (*avoir*) avec, parfois, l'adjonction d'une ou de plusieurs relatives (*qui*) — débite des «propositions sans contrainte», sans rapport immédiat les unes aux autres, mais reliées entre elles par la conjonction (*et*) et marquées par l'emploi immodé de déictiques, en particulier le démonstratif anaphorique (*c'est*) qui, à se référer à une représentation faussement définie ou confuse ou fluctuante, ouvre sur un espace potentiel, mettant en cause l'identité de celui qui parle et entraînant du même coup l'abréviation de récits virtuels. (Exemple de saut anaphorique, dans le poème «Sentinelle-onde», où un certain «ciment préfector» reçoit successivement plusieurs dénominations: «C'est la savane/C'est la bureté/C'est la folie allemande...»)

11. Le «possédé» dont le nom est Légion, est un homme *sans vêtement*, vivant dans les tombeaux (hors loi) et les montagnes (hors lieu), littéralement déchaîné et indomptable, «poussant des cris et se tailladant avec des cailloux» (cf. Marc, 5, 1-20 et Luc, 8, 26-39). La négativité de Gauvreau («Un nom siffle/un non aboie/plus fort que le délire/plus cru que la bestialité...»), poussant «le cri du verbe nouveau», renverse l'opération christique et la retourne, comme acte de parole jouisseur (*pourceau* renvoyant au plaisir des sens et à l'épicurisme), contre Jésus lui-même («il fit pipi sur la tête d'un quelconque jésus»), ses représentants jésuites («Jéz j'ai-z-Jésuiterie à consommation familiale») et ceux qui tentent d'enchaîner le «vaste Gôvrô» ou d'entraver «l'exploréen», soit par censure («à partir du concept de honte inhérent à la sexualité»), soit par imitation («l'acte intéressé est déjà une imitation en soi»).

12. À propos de la grammaire: «La langue est toujours à maîtriser. L'expérience sensible est toujours à acquérir et n'a pas de limites connues — et le grammairisme n'est qu'un point final abstrait et stérile. (...) Quant à moi, la connaissance des règles de la grammaire ne m'a jamais été d'aucune utilité lorsqu'il s'est agi d'exprimer la finesse de la pensée la moindrement exigeante, l'état mental le moindrement particulier. Ma connaissance de la langue est devenue une connaissance expérimentale des moyens objectifs d'expression verbale.»

13. Gauvreau, dans un passage de *Brochuges*, reprend consciemment ou inconsciemment l'étymologie de la question *Was ist das?* sous le mot *vasista*: «Vasista/trou ouvert sur la nuit».

Guichet automatique qui s'ouvre sur «la langue de nuit», trou noir d'une langue sans fond(s) dépensée.

14. Marteau sans maître, tel est la souveraineté de l'imagination selon le manifeste d'Yvernig dans *les Oranges sont vertes*: «L'imagination, cette souveraine sans maître, éjacule à gros bouillons sa sève de braise sur la totalité de la mappemonde en attente, et la phalange des solitaires s'acharne à édifier les digues destinées à contrevenir à l'abondance de ce dégoulinement farouche.»

15. Métaphore qui se remarque dans les textes d'Artaud et de Bataille comme déplacement d'une pulsion anale assumée. Il est trop tôt, en ce qui regarde Gauvreau, pour déterminer si cette analité, qui est à la base de sa productivité, est avouée ou non. Pour le moment, disons qu'elle est métaphorique et qu'elle couve sous l'animalité.

16. Quels sont ces éléments de base de l'interprétation délirante? Lacan en dresse la liste: «... ces allusions verbales, ces relations cabalistiques, ces jeux d'homonymie, ces calembours (...) et je dirai: cet accent de singularité dont il nous faut savoir entendre la résonance dans un mot pour détecter le délire, cette transfiguration du terme dans l'intention ineffable, ce figement de l'idée dans le sémantème (qui précisément ici tend à se dégrader en signe), ces hybrides du vocabulaire, ce cancer verbal du néologisme, cet englument de la syntaxe, cette duplicité de l'énonciation mais aussi cette cohérence qui équivaut à une logique, cette caractéristique qui, de l'unité d'un style aux stéréotypies, marque chaque forme de délire, c'est tout cela par quoi l'aliéné, par la parole ou par la plume, se communique à nous.» Severo Sarduy a montré dans *Barroco* la coïncidence du délire et du baroque, à ceci près que le premier est l'objet d'une manipulation alors que le second expose une nouvelle relation symbolique. L'expérience de Gauvreau poursuit cette seconde voie à travers l'automatisme surrationnel qui, faut-il le rappeler, se disait aussi *abstraction baroque*.

17. La troisième section de ce texte, «Une pensée sans vêtement», a été abandonnée en cours de route.

L'*im*posture généralisée

Je me sens comme doit se sentir une pièce
d'un jeu d'échecs lorsque l'adversaire dit:
cette pièce ne peut pas être déplacée.

Kierkegaard

I

«Marginalité» et «nouvelle écriture» — à les con-
fondre — se réduisent à un effet publicitaire qui tient de
l'ordure.

Que l'ordre perdure en s'octroyant du nouveau à
même la marge dont il s'autorise ou qu'il sorte à certains
moments de sa réserve habituelle pour permettre la prise
en compte de ce qui lui résiste, voilà l'expérience quotidienne de celui qui en fait les frais, qui s'essaie à tous les
débordements afin de rendre plus perméables les frontières.

Ou encore: la marge pourrait être ce petit air en
retrait que se donne la nouvelle écriture en attendant
d'être bien notée, que lui soit notifiée le bien-fondé de
son extériorité-extrémité ou signifiée, après arraisonne-
ment, sa rentrée institutionnelle[1]. De quelle rectifica-

71

tion, alors, la nouvelle écriture est-elle porteuse? de qui entend-elle prendre la place? à quoi veut-elle se substituer? sur quoi veut-elle faire l'impasse? au nom de quelle communauté imaginaire les nouveaux écrivains sont-ils l'effet, la métaphore, c'est-à-dire le symptôme? Voilà quelques questions qu'il faudrait peut-être agiter si nous voulons saisir le désir que chacun porte et qui porte chacun à s'afficher ensemble sous la même enseigne. De quel horizon de langage tenons-nous la nouveauté? De quel acte de paroles sommes-nous le déchet pour que, dans cet état de séparation, la marge vienne à se tracer — au bord du sens où advenir et qu'elle dévoie sans s'y ranger?

En somme, dès que quelque chose se met en marge, se prend en marge pour la marge, fait image pour ancrer sa note de service en manchette, surgit aussitôt la question de sa *mise en marché* et les conditions de son *marquage*. Sursaturation des étiquettes: après tant d'autres, voici maintenant venu le temps de la néo-scription. À tout prendre, j'aurais préféré celle-ci — la *téléscription*: sorte de chambre d'échos où s'engramme à une vitesse accélérée — par proximité recherchée dans l'éloignement ou par innervation synaptique — l'influx informationnel de génotypes simulés, perdus, ou encore multipliés, déclenchant des bruits de fond computés en explosion dans le temps de l'univers en train d'épuiser ses batteries: débris d'une guerre des ondes, épidémie d'images qui vous reviennent en travers de la mémoire. Dans cette voie zéro des formes en transduction, vous seriez directement branché sur votre respiration pour en disposer librement les *franges*, c'est-à-dire les retombées incertaines de ce qui se tient en marge. Une espèce de souffle dont l'instance panique rendrait l'écoute nomade, au bord du désert des voix dont chaque appel ne serait pas perçu comme émanant de l'oasis du sens[2].

J'entends aussi — d'une oreille distraite et sans trop me soucier de sa provenance — résonner, par la bande, l'énoncé suivant: *en marge de la nouvelle écriture*. Ceci peut être prononcé de manière impassible à partir d'un autre angle, d'une autre séquence, et par-dessus le marché. Évidemment, c'est du style indirect dont il est difficile de savoir qui en assure ici l'énonciation, pour autant que quelqu'un — n'importe qui — pourrait s'inscrire en faux sur ce qui doit faire débat aujourd'hui quant à la représentativité (avec ses figures de proue) d'une nouvelle écriture. À tout le moins, il est possible de comprendre entre les lignes, à supposer par exemple que je sois l'instigateur de ce bout de phrase et que j'arrive à faire passer une certaine écoute dans ce que j'entends, que c'est une façon détournée d'attirer l'attention, de vous faire marcher, de me démarquer sans trop me faire remarquer. Il s'agit peut-être de toujours passer à côté d'une grande question pour l'exposer à l'insignifiance d'un détail, de déraper sans cesse tout en restant inaperçu, de ne jamais être dans le coup afin de produire un maximum de tensions et de brouillages qui ébranlent toute limite assignable, et, à travers cette course folle de plus en plus entropique, de brûler tous les courants et les circuits en évitant le blocage sur des images toutes faites, des tactiques ou des calculs prémédités. Quitte à avouer, à la fin, que vous avez mal compris la question, ou à vous faire dire que vous êtes passé à côté. Mais voilà, ce qui m'intéresse c'est le détail, l'objection, la nuance, de ce qui, dans la question, la retourne, frangée du deuil qu'elle porte à l'adresse de celui qui s'y soumet sans se détourner de la mort dont elle est l'affirmation prématurée.

Le facteur, la facture à la main, m'importe moins que le contre-facteur qui paye la note de ses détournements — le facteur chance remportant avec lui les premiers signes de ma déchéance.

D'où viennent les écrits pour que quelqu'un s'imagine, de main à main, être porteur et détenteur d'un nouveau-né dont il n'assure que la délivrance, le soulagement d'un mal?

Un écrivain n'a pas à choisir de parti pris, sinon au risque des pires régressions, étant d'avance irrémédiablement compromis dans le langage qui lui advient et par lequel il est déjà mis en échec, interdit de séjour, coupable et toujours *hors jeu*. Il n'y a pas, dans cette prise en défaut, de repère qui tienne le coup. Toujours déporté par le tourbillon de l'inconscient qui *langage en commun*, l'écrivain dans sa solitude sociale n'a d'autre posture, comme le note Pasolini, que *désespérée*, hors de la ligne droite, de l'opinion et de la cause commune, du conformisme intellectuel: «La lutte a toujours été entre la vieille orthodoxie et la nouvelle/C'est cela qui me désespère, et me fait rester hors jeu.» Il n'y a pas lieu de se ranger, ni dans le dogme ni dans l'hérésie, encore moins dans une sorte d'œcuménisme qui réconcilierait l'ancien et le nouveau. L'écrivain, même dans l'exil le plus volontaire par lequel toute «doxa» (ancienne ou nouvelle) le condamne *à résister*, n'est que son propre ennemi, toujours prêt à se retourner contre lui-même, n'ayant d'autre avenir que ce maintien dans la trahison — jusqu'à l'extrême oubli de soi confondu avec la nécessité où il se trouve de l'écrire. C'est parce qu'il s'entête, qu'il est sans tête[3], qu'il refuse de se livrer au sommeil, qu'un écrivain est forcé de se déplacer dans l'ignorance, dirait Nietzsche, de l'avenir. Pensez, par exemple, à Aquin qui a poussé sa difficulté d'écrire jusqu'à l'usure des nerfs et qui n'a cessé de prendre à son compte ce propos de Kafka, à savoir que le porteur d'écrit n'est que cet «homme enfoui en soi, fermé en soi *avec des serrures étrangères*.» Question de dramaturgie qui brouille et met l'image en mouvement: une extrême compromission qui ne tolère aucun compromis.

L'écriture qui fait tourner court le sens pour plonger dans le réel, dévoie aussi celui qui en commet l'exercice, lui fait aborder des rivages insensés ou l'échoue sur tous les continents en même temps, le fait émerger nulle part ou le force à ne rallier aucun autre centre que celui, indécidable, de cet océan des langues *through the trancitive spaces* — comme l'écrit Joyce branché sur Giordano Bruno4 — et dont il n'est, par intermittences, que l'opérateur de transmission, le programmateur d'éveils, l'arpenteur de l'impossible.

En somme, il n'y a d'écrivain que souterrain, labyrinthique, en train de remonter l'enfer de la mémoire. Quand il vous arrive d'en écouter *un*, de faire passer de la voix dans le volume de ce que vous êtes en train de lire, il se peut que vous soyez à votre tour comme lui, tout aussi brisé et seul, tassé et abandonné.

En avant, il n'y a rien d'autre que ce corridor sonore qui se creuse tout droit en faisant des zigzags. Soulevez la tempête des mots et vous n'aurez plus d'autre choix que de vous déplacer comme la foudre.

Qu'il y ait du langage, cela ne va pas de soi, c'est-à-dire que personne ne veut rien en savoir de plus que l'assurance qu'il a, par ce moyen, de légitimer ses besoins, couvrir les trafics de ce qu'il pense être sa réalité. Mais voilà, ce à quoi donne lieu le langage, par cette économie de la communication, c'est au contrat tacite, jamais dit, entre individus et communauté où l'identité se définit en fonction de l'appartenance, en vue de l'unanimité et du concensus social. De cette *fiction* en abîme, des lieux de discours où ça parle sur ordre, d'appels qui se perdent en chacun, de ce ressentiment rentré qui «cause» de l'horreur pour ne pas se mesurer à la mort, de tout cela où il est lui-même pris dans le montage auquel il se confronte, repart un écrivain — mais de l'intérieur même du langage et d'un point de vue hors du monde où il ne cesse de dire le dissentiment qu'il éprouve devant la détresse des signes et des corps en souffrance que nous sommes.

Que l'écrivain soit aussi un corps parlant-souffrant, qui s'en soucie? Qu'il ait à justifier — et nous sommes aujourd'hui dans cette position — le geste d'écrire, ce qui le fait écrire ou ce qu'il écrit, c'est ce qu'on attend le plus de lui, le rappelant à l'ordre ou lui demandant des comptes, comme s'il savait quelque chose de plus sur ce qui lui prend vingt-quatre heures sur vingt-quatre, comme s'il occupait sur cette scène de l'écriture une place confortable de laquelle il ne serait pas lui-même *viré*.

Qu'il écrive à partir de la place du mort où, en définitive, il s'agit d'une morte qui survit en lui et qu'il ne cesse de reconduire toute sa vie, qu'il revienne donc de la mort, voilà peut-être à quoi se réduit sa véritable fonction — de faire migrer du corps en langue (qu'il ne confond pas avec son corps particulier dont il se détache) dans le dénouement d'une oreille transfixée. Du corps parle dans l'écrit en écoute du nom qui signe le tout en tant que le trou par où ça passe et reste du même coup. L'écriture, comme mise en scène de signifiance, est violemment corporelle, ouvrant le corps au discours qu'il excède. Ce passage à vide s'effectue de dedans en dehors ou par l'intérieur de l'extérieur dans la traversée des signes du langage en continuel dérapage de sens. C'est de l'ordre de ce que Lacan nomme une *pulsion invocante* dont la motilité incessante — en deçà de l'écran de la mémoire et au-delà du champ scopique — porte l'exigence d'une ressaisie par l'oreille.

II

Qu'est-il possible d'entendre d'une autre oreille? Peut-être ceci, sans me préoccuper de sa recevabilité ou de son importunité: sommes-nous seulement capables d'écriture — avant même de la dire «nouvelle»?

Question de la marge, donc, frappé à double entente. Que je ne trancherai pas, étant voué à cette question dont je remarque sur le coup la division. Qu'il puisse aussi s'agir d'une question *éthique*, j'en laisse courir l'indication. Telle que Barthes m'entraîne à la déplacer: «Comment est-ce que *ça marche*, quand j'écris?» Ce qui revient à me demander quelles sont les figures de l'imposture dont je me sers pour opérer de la fiction, pour dévoiler l'imposture sous laquelle tous les corps («everybody», dirait Joyce), en tant qu'erreurs de langage, se font prendre afin de jouer la comédie humaine du temps en impasse de son temps. L'écriture, qui expose l'imposture à elle-même au lieu d'en imposer sous le couvert de sa propre méconnaissance, je la dis *im*posture parce que, manquant d'assises, elle est sans confort, redoutée et intenable.

Pour que de la marge s'*affirme* une limite qu'elle dépasse et complète en l'abordant de biais, il faut en quelque sorte de la loi qui, par éviction la manifeste comme *autre*. Sinon elle montre la trame et se déchaîne à vide de part et d'autre? Qui ça, *elle*?

Prenons les choses autrement, sous un angle plus différentiel et en serrant la marge de plus près, au moment où la nouveauté d'une écriture — si elle s'y tient — prend valeur de virginité jusqu'à son réglage selon l'attentat (ou l'attention) qui la consomme. À ce point d'écriture qui nous intéresse, d'en revendiquer à plusieurs (semble-t-il) la nouveauté, il n'y a jamais de *fait accompli*. Seulement un effet d'effraction *mordante* qui touche au symbolique dont il reçoit la sanction — l'ordre symbolique, en prise directe sur le langage qu'il arraisonne, n'étant que la forme détournée (déformée) que prend la violence à notre insu[5]. Sous la forme de ce détour, l'écriture met en scène non le contenu mais la jouissance du symbolique, mettant celui qui s'y livre en état de perte inconditionnelle. Elle prend ainsi le relais de la trangression qui, Bataille en a souligné l'exacte mise en jeu, lève l'interdit sans le supprimer. Tout acte d'écriture, poussé à son extrême limite, ne supprime pas le langage sans lequel il n'y aurait d'accès à l'interdit qui le fonde, mais le surprend et l'envoie coucher jusqu'à son exténuation.

Or, à écouter ce qui se concocte de discours, actuellement, il y a une tendance générale à (faire) croire que la «modernité» aurait effacé l'interdit en illimitant la transgression et reconnu le désir en accentuant son angle de dérive. Selon le principe toujours reconduit de la table rase, ce discours n'est plus exclusif mais permissif. S'il se charge toujours de la mainmise des étiquettes, il normalise tout ce qui se donne le masque d'une libération. Plus d'exception, plus d'exemption, plus d'individuation, tout doit être naturalisé et collectivisé, uniformisé et indifférencié. Quels sont les procédés d'amputation mis de l'avant afin d'endiguer et de banaliser toute tentative de rupture? La pétition de principe, la réduction au stéréotype, le ressassement des énoncés, l'aplatissement du champ intellectuel, le brouillage des codes, l'influence des modes, le bréviaire des idées reçues, le renforcement des images de marque, le gommage des contradictions, la forclusion du symbolique. À l'inverse, que s'agit-il de célébrer à l'unisson? Les fantasmes d'expérience, la contre-culture de masse et l'informatisation des consciences, le maternalisme retrouvé et le sexualisme militant, les pérennités du corps mutant subitement frappé de mutisme, le réformisme écologique et le protestantisme pacifique, les babils de l'imaginaire et le renflouage des idéologies, le nihilisme des bavardages planétaires. Bref, toute la petite monnaie névrotique et perverse, les mille et une impostures d'une nouvelle religion post-moderne, fondée sur la crise des valeurs.

Excédentaire, la transgression est devenue rentable,

à nouveau conforme à une économie d'échange et de marché. Son emploi n'est plus que métaphorique et se résume à un bien joli mot de passe. Toute la culture aujourd'hui vit au crochet de ses marges qu'elle parasite, elle-même dévaluée et marginalisée.

Est-il seulement possible de redonner sa pression à la marge et restituer à l'écriture sa force de renversement pratique? Y a-t-il un passage direct qui ouvre au jeu réglé d'une inscription insensée dont l'*écriture* serait la *marque*?

Cette écriture de *passage*, la pâque de *Finnegans Wake* l'accomplit[6]. Je vous tire un fil de cet écheveau au nom de *Marge* qu'introduit Joyce — sur le mode oblique de sa comédie — à travers le discours du Professeur Jones, adjuvant de Shaun pour l'occasion[7]. Comme professeur, Jones est un *démarcheur* de la marge qu'il dé-taille. Historien, ce qu'il conte ou colporte se rapporte toujours — en dernière analyse — à un règlement de comptes. Spécialiste de la guerre qui divise les jumeaux, il veut tenter leur «helixtrolysis». Homme de grand talent ès qualités, il se présente somme toute comme un *retailer in retaliation* — l'économie de son discours circulant de *tail* à *tale* ou de *tall* à *taille* avec leur suite de dérivés, homophonies, antinomies, substitutions et glissements de signifiés. Il étale son savoir afin de déterminer la responsabilité juridique de *Talis* par rapport à *Talis*, tout en suivant les méandres de *talis qualis* à travers littérature, philosophie, art, science, politique et théologie. Ce qui revient pour vous à savoir décortiquer votre *tel quel*.

Donc Jones, Ernest de son prénom[8], ce drôle de loustic à l'oreille buissonnière, se veut l'anna-liste d'ALP, ici nommée *Amnis Limina Permanent* dont il suit le cours qui la démarque d'effusions en confusions jusqu'à sa *metamnisia*. Sur la rive la plus rapprochée descend «a woman of no appearance» et sur la rive opposée apparaît «a woman to all important» (coup de chapeau de Joyce, au passage, à *A Woman of no Importance* d'Oscar Wilde). Devant l'insaisissable des deux rives (*bank*, en anglais) où se joue une formidable partie de cash-cash entre the Mookse (l'hérétique) et the Gripes (le catholique) quant à la meilleure économie possible pour gérer rationnellement la religion sexuelle de l'humanité dont la question de la femme, sa place dans le programme, est le fer de lance, Jones est réduit à quia de démasquer le coupable d'un «woemaid sin»[9]. Appelons-ça les *Infortunes de la virginité* (pour parodier Sade) selon que, dans l'affaire-femme, vous la preniez pour n'importe quelle autre ou que vous la disiez *une* entre toutes. À vouloir percer le mystère d'ALP, Jones fait le pont (ou le paon) entre les deux rives d'où il ne peut *perce-voir* (au sens économique du mot) qu'une boucle ou un clapotis (*lap*) de la rivière trans-alpine, perdant d'un côté ce qu'il gagne de l'autre. Là où Jones di-vague, branlant de la queue dans l'oreille, ALP di-verge: elle est une et multiple, mais toujours la même («alike») entre ses diverses manifestations qu'elle assume (selon son assomption finale). En clair: à prendre du sexe pour de l'argent comptant, Jones troque les significations qu'il entend vaguement comme s'il détenait déjà quelque clé (ou solution) du *cens* (de la censure à sa recension). En aucun cas, Jones ne peut accepter que le *lapsus* comme état de péché (*culpa*) puisse être racheté (*felix culpa*) et non monnayé. De sorte qu'il en commet lui-même en série, les prenant pour des mots d'esprit, chaque fois qu'il glisse à la surface des choses et des phénomènes et que, d'apparence en apparence, il prend l'une pour l'autre.

Après avoir introduit Burrus (beurre) et Caseous (fromage) afin de corser de quelques propos de table l'Histoire magistrale qu'il nous cuisine, Jones se rend compte qu'entre ces «too males pooles» le milieu reste ambivalent et décide donc de leur offrir «a female to

80

focus», une «cowrymaid» (soubrette à bon compte). C'est à ce moment précis, qu'il appelle «absolute zero», qu'apparaît Marge *à la lettre*, d'abord à la lettre *M* dont elle recevra plus loin son élargissement. Parengon et paraphe de l'épître («mamafesta») d'ALP dont elle est l'une des filles («maggies» ou «margies»), M occupe le milieu de l'*alp*habet[10] dont elle fait son lit («allaphabed»). Une fois posée et bien coincée, Marge (margarine, mais aussi Marguerite ou Reine Margot) détermine la rivalité entre les deux rives pour sa possession dont le premier mot de *Finnegans Wake*: *riverrun*, entraîne déjà le courant à sa violence: *rive her on*, pour qu'elle s'écoule en charriant sous elle tous les déchets de l'Histoire humaine, trop humaine.

La farce de Jones devient plat mélangé, une «goulache» (goule et gouache) faisant de Marge (l'aiguilleuse) une portraiture qu'il intitule: *The Very Picture of a Needlesswoman*, croûte qui figure au patrimoine national.

En somme, Marge, même «in her excelsis», si elle supporte l'identité tendue des contraires (des doubles) qu'elle annule en tant que leur Mère qui se soutient d'un père-mort pour les tenir tranquilles, n'a elle-même d'autre identité qu'à se donner en *représentation*. Elle incarne la loi du côté du semblant, de la sexité du semblant, entre deux pôles mâles dont elle excite la jalousie de les rassembler sous sa ressemblance. Marge (n') est (que) *merge*: confusion des langues et des sexes. La bisexualité apparente de Marge n'est que le trompe-l'œil de son travestisme, en tant qu'elle est à elle-même sa propre doublure (ou roulure) conciliant «her own more mascular personality by flaunting frivolish finery over men's inside clothes, for the femininny of that totamulier will always lack the musculink of a verumvirum». Séduction de la Toute-Mère qui, pour opérer, doit laisser tomber le voile de la féminité qu'elle nie deux fois («femininy»), refus de la femme partagé par les deux sexes mais ouvrant du même coup un pas au-delà de l'interprétation comme «analyse infinie» (ou interminable). Le discours de Jones pour *la* saisir malgré tout dans sa jouissance en tant qu'elle lui serait *comptée*, confine au *simul*: elle est en même temps ce qui la somme, tout à la fois *simulamen* (représentation), *simulacrum* (simulacre), *simulatio* (mensonge) et *simultas* (rivalité) par rapport à l'homme qu'elle suppose savoir sa limite, alors qu'il s'y laisse prendre et se méprend.

Dans la marge que consacre Jones, la femme reste interdite et cette interdiction permet la circulation des semblants.

Par rapport aux «solotions» de Jones (solutions à sens unique), Joyce dans sa *disshémination* met une croix dans la marge, ajoute une marge à ce qui se prenait pour la marge mais n'était que «merge»: «For newman-maun set a marge to the merge of unnotions.» Au-delà d'Adam et Ève désigne, à travers la veillée pascale de *Finnegans Wake*, la sortie du semblant quand la faute s'entrevoit en toute *félicité*.

Bien entendu, entre Nora et James, le malentendu est complet, porté à son comble. Elle: «Il ne sait rien du tout des femmes.» Lui: «Elle ne s'intéresse nullement à mon art.» Amoralité de Joyce le *sérieur*, son travers et sa loucherie extravagante: «Il y a en Irlande des gens qui appelleraient *oblique* ma nature morale.»

Joyce oscille entre l'exil et sa loi dont il tient la distance — d'une langue désistée dans l'*élangues* (Sollers) de tout son cataplasme maternel et national. Ce qui implique que la limite est toujours à l'œuvre, passage à la limite, et affirmée *comme telle*.

Une fois ce long détour pris, je vous renvoie à l'un des derniers écrits de Hubert Aquin: «Le texte ou le silence marginal?», alternative qu'il adresse ironiquement à l'emprise marginale de *Mainmise*, et dans lequel

il se repose la question de savoir ce qu'il en est de *n'être*
dont il ressaisit toute la violence, à la veille même de sa
propre disparition, en faisant intervenir l'individation,
la victime émissaire, l'extase paulinienne, Dieu. Évidemment, rien de ceci, qui regarde la théologie ou la
mystique, ne vous intéresse. Je m'en tiendrai donc à la
thèse principale d'Aquin: l'existence est une interpolation du néant comme le texte est une exsertion (ou ex-
centrement) de sa marge, me contentant de laisser flotter entre nous ce fragment tellement plus «moderne»:

«Le texte s'écrit continuellement dans le texte ou le
long des marges d'un autre texte. Le moi est un inter-
texte, la conscience du moi un commentaire désordonné
— marginalia parfois indiscernable mais pourtant toujours formante, instauratrice. Le fini est bordé délicate-
ment par son propre infini; c'est comme si une ombre
lumineuse enveloppait la lumière assombrissante de
l'intelligence.»

Ces «tracés d'ombres» (Kierkegaard) de l'écriture
d'Aquin, je les mets à l'ordre du jour d'une *skiagraphie*
nécessaire à toute «novation» — *vita* ou *intelligenza
nova* aux dires de Dante avec qui je m'accorde sur le
sujet.

III

Ce qui m'intéresse dans l'écoute d'un écrit en transmission et qui me vient de la part de ceux dont l'amitié
m'inquiète au point de me mettre dans le coup d'une
complicité, c'est la possibilité d'entrer dans un rapport
de *transfiction*[11]: faire passer le flux d'une fiction avec
laquelle je me commets dans la violence (plutôt la
fureur) d'une autre qui pourrait être la mienne si, chaque fois, je n'étais pas tant dérouté au moment d'*en
produire la pensée*. Délicate opération qui ne peut se

pratiquer que si la fiction ne trouve pas à se fixer dans un discours typé ni ne se condense en une seule posture.

La *transmission*, c'est ce qui a lieu en tant qu'actes dans la dimension de la parole et de l'écrit à partir desquels se produisent des altérations et des transpositions, des déformations et des déplacements, qui disent à moitié l'impasse dont elle a charge de refouler ou d'effacer les traces en se constituant comme tradition, mais sans cesser de la trahir. Nous sommes en situation de l'*Entstellung* freudienne telle qu'elle revient en force dans *Moïse et le monothéisme*, non plus au titre de déformation ou transposition[12], mais de déplacement *dans* la déformation. «La déformation d'un texte se rapproche, à un certain point de vue, d'un *meurtre*. La difficulté ne réside pas dans la perpétration du crime mais dans la dissimulation de ses traces. On souhaiterait redonner au mot *Entstellung* son double sens de jadis. Ce mot, en effet, ne devrait pas seulement signifier «modifier l'aspect de quelque chose», mais aussi «placer ailleurs, déplacer». C'est pourquoi dans bien des altérations de textes, nous sommes certains de retrouver, caché quelque part bien que modifié et arraché à son contexte, ce qui a été supprimé et nié, seulement nous avons parfois quelque difficulté à le reconnaître.» Sur ce meurtre commis en commun, mais effacé, repose la société. C'est autour de ce nœud, de cette alliance, qu'il dénoue ou rompt, que se situe le travail d'un écrivain. Il a affaire avec cette transmission, ce *testament* ancien *et* nouveau, qu'il traite selon deux stratégies différentes: *déshérence* (refus d'hériter) et *transhumance* (refus de séjourner): tradition de l'aventure qui le force à mener une existence cosmopolite. De ne pas tenir en place, de s'abstenir, un écrivain se rend coupable: «hors-la-loi» et «en grève dans la société», dit Mallarmé, ou encore, comme le remarque Kafka, «il est le bouc émissaire de l'humanité, il permet aux hommes de jouir d'un péché innocemment, presque innocemment».

Quelque part par là, vous toucherez à l'*im*posture qu'est la littérature.

La littérature entretient un rapport étroit avec la religion, mais *inversé*. Parce qu'elle ne fonde rien ni ne fait communauté, la littérature parodie le discours religieux, débite son opération comptable dont le crédit («avoir en commun») lui fait foi de croyance, fait passer de l'obscénité dans ce *koinos* langagier. En somme, elle vient dire à sa manière comment la créance au rapport sexuel comme subordination au conjugal dans la reproduction[13], est le plus grand lapsus de l'espèce, une erreur de langage dont toute communauté est comme effet (et effectif) *en partie* exclue — *l'autre moitié* (dirait Burroughs) se consumant sur le front de la guerre (des religions, des sexes), en cette zone militaire et militante qui referme le langage sur lui-même.

Quand la religion, sous les espèces du progrès, devient la religion du pire, c'est-à-dire la politique comme forme achevée du *religare*, la littérature se retrouve *dans le même camp* que l'ancienne religion en son sens premier de *religere*. C'est ce que Mallarmé appelle «travailler avec mystère en vue de plus tard ou de jamais». C'est-à-dire que l'expérience de la littérature comme recherche à travers le temps perdu *se retrouve* toujours du côté de la moindre religion.

Étrange aventure que celle de l'écrivain, pèlerin de l'Histoire dont il s'éveille mal, au point où cette aventure est autre chose qu'une aventure littéraire.

Un écrivain *n'est pas du monde*. C'est pourquoi on ne cesse de vouloir le ramener les deux pieds sur terre, comme on se plait à le dire, afin de lui faire avouer un peu d'humanité et un peu de sa réalité retournée en biographie, démontrant par là même qu'il tient encore à la vie — comme tout le monde.

Mais justement il n'est plus dans la perspective ou l'orbite du monde, mais dans son *éclipse*.

Pour qu'il y ait de l'écriture, il faut qu'il y ait de la loi, pour autant qu'il n'y a d'écriture que de la loi. Ne pas connaître la loi, pour un écrivain, c'est sombrer dans le semblant de la transgression courante, pire encore — dans le semblant d'illisibilité, le n'importe quoi névrotique. Il faut, au contraire, se donner un sol pour décoller, sous peine d'être collé et recollé par l'interdit. Contourner la loi, l'outrepasser en toute connaissance de cause, voilà l'enjeu et le défi, s'agissant chaque fois de (se) déjouer et de (se) défier (de) la *censure* sociale. Ce que remarque Freud lorsqu'il propose une analogie entre la *déformation* des rêves et le *caviardage* de l'écrit:

«L'écrivain redoute la *censure*, c'est pourquoi il modère et déforme l'expression de sa pensée. Selon la force et la susceptibilité de cette censure, il devra, ou bien éviter certaines formes d'attaques seulement, ou bien se contenter d'allusions et ne pas dire clairement de quoi il s'agit, ou bien dissimuler sous un déguisement innocent des révélations subversives (...) Plus la censure sera sévère, plus le déguisement sera complet, plus les moyens de faire saisir au lecteur le sens véritable seront ingénieux.[14]»

En d'autres termes, quand il y a de l'écrit, ça n'est pas à lire. Ce qui est écrit n'est jamais ce que vous en avez lu — sous peine de considérer que ce qui vous passe devant les yeux va de soi. Dissimuler, déformer, c'est une manière de faire entendre autre chose qui passe dans ce qui n'est pas censé être dit. Cette distance dans l'écrit, seul le Christ a pu la dire clairement et distinctement, au point de la traverser en première personne quand il a dit qu'il était venu accomplir les Écritures. Pour cela, il a fallu non seulement qu'il meure, mais que revenant de la mort, il passe dans la résurrection — c'est-à-dire qu'il laisse *vide* la place à partir de laquelle cet accomplissement a eu lieu[15]. Ce qui ne veut pas dire, pour autant, qu'il ait été bien entendu. Mais il a prévu le coup, c'est pourquoi il a ajouté qu'il était pour *revenir* hors-temps dans la dissolution du temps, nous abandonnant à l'Esprit puisqu'il savait d'aventure que nous en manquions.

Quand tout de l'extérieur semble permis, que la censure elle-même se plie au déguisement, c'est-à-dire quand elle n'est plus — et c'est le cas aujourd'hui — frontale et directe, que se passe-t-il? On échappe à l'emprise de l'angoisse pour se faufiler le plus rapidement possible dans l'empire du mensonge. Le comble du mensonge, ce à quoi se résume la permissivité, c'est refuser à quelqu'un le droit de jouir et, plus encore, le droit d'en savoir quelque chose. D'où le retour actuel de l'agressivité sous la forme de l'intolérance *meurtrière* dont l'indifférence, le tutoiement et le passage à l'acte ne sont que les traits les plus visibles, les plus empruntés. Que reste-t-il *à faire* pour un écrivain? Se pencher plus que jamais sur la langue qui est le lieu de la plus grande résistance d'où s'inaugure la censure effective, plus profondément ancrée que celle qu'impose n'importe quel pouvoir extérieur et institutionnel qui se contente seulement de la faire parler en chacun de nous — *à notre insu*. La langue compose avec du pouvoir, elle est ce pouvoir qui me *coopte*[16]. Cette limite *interne* à la langue, un écrivain la fait *entendre*, s'inscrivant dans une expérience qui le déporte de langue à langue *dans* la langue.

Un écrivain aux prises avec le pouvoir — quel qu'il soit et, à plus forte raison, si permissif, il est un abus de pouvoir — n'a d'autre alternative que l'exil qui ne se vit qu'à l'intérieur de la communauté dont il fait les frais de l'interdiction. Un écrivain aux prises avec ce que la langue ne veut à aucun prix laisser filer, n'a d'autre choix que de faire voile dans la langue en la dévoyant.

Par sa façon de se tenir dans une posture de langage

qui ne se verrouille pas, au point d'inclure le principe de sa dissolution, le porteur d'écrit doit être en mesure de riposter, comme le serpent de Sun Tzu dans *l'Art de la guerre*, de tous ses anneaux à la fois, de tout le clavier de son corps cylindrique: «Lorsqu'on le frappe à la tête, c'est sa queue qui attaque; lorsqu'on le frappe à la queue, c'est sa tête qui attaque; lorsqu'il est frappé en son centre, il attaque à la fois de la tête et de la queue.» Se sentant étranger en ce monde, plutôt mal venu, passé de l'autre côté des choses et des phénomènes, il éprouve l'envie irrésistible de s'en aller, de décoller en travers toute subordination homo-génétique.

Comme dans l'hymne gnostique, il sort du tombeau qu'il a sculpté et entend battre dans la nuit le *sens vivant* du feu des langues qui dit: «Je suis la voix du réveil dans la nuit éternelle.»

La littérature est une *im*posture généralisée en ceci que, ne s'adressant à personne, elle ne compose pas. Foyer de tous les noms, elle reste *sans* nom — toujours en train de nommer. Comme fonction d'interruption, elle infirme le lien social de la communauté et, par cette intermission, elle affirme la permanence de l'interpellation qui n'en finit plus d'entendre le bruit du monde par où quelqu'un *passe*, incognito, occupant toutes les places sans en retenir aucune, pour *rentrer* dans son nom. De ce nom propre dont un seul *signe* — pas tellement du propre nom qu'il a reçu en venant au monde — l'énigme qui l'engage à suivre et poursuivre les lignes de sa déportation dans un *autre nom*.

À déterrer la lettre d'un tas d'ordures (encore Joyce), il est peut-être possible de toucher à du nouveau dans l'écriture, à condition que, par ce désenfouissement, une identité en perpétuelle déclinaison prenne en écharpe le corps social pour lui faire parler en première personne l'évidage des langues, lui faire faire des sauts dans l'espace d'un retournement parodique.

C'est ce que j'appelle le *parlogue*[17] qui n'a rien à voir avec les gloussements d'une *poule* (d'une mère-poule) qui picore.

Communication faite au colloque sur *la nouvelle écriture*, organisé par *la Nouvelle Barre du Jour* le 29 février 1980 au Pavillon Hubert Aquin de l'Université du Québec à Montréal. Thème de cette scéance: «Nouvelle écriture et marginalité». La seconde partie de ce texte a été ajoutée après coup. Un fragment a été publié dans *la Nouvelle Barre du Jour*, nos 90-91, mai 1980.

---

1. Dans ses *Nouveaux contes de la folie ordinaire*, Charles Bukowski commente avec son cynisme habituel la rentrée universitaire de quelques écrivains à l'enseigne du nouveau: «Entre-temps, tous les deux ou trois ans, un critique, désireux de maintenir son rang dans la machine universitaire (et si vous dites que l'enfer c'est le Viêt-nam, vous feriez bien de jeter un coup d'œil sur l'empoignade de ces 'cerveaux' et leur course au pouvoir dans leurs petites alvéoles), ressort un plein aquarium de poètes châtrés et nomme ça *nouvelle poésie* ou *nouvelle nouvelle poésie* mais ça vient toujours du même fournisseur.»

2. Je pensais, par la bande, au *Ticket qui explosa* de William Burroughs, à la multiplication des coupures et des épissures d'une histoire du verbe en marge du Désert de Gobi. Cf. *infra*, «Ça ne fait que commencer».

3. «Le sujet transformé dans cette image polycéphale semble tenir de l'acéphale. S'il y a une image qui pourrait nous représenter la notion freudienne de l'inconscient, c'est bien celle d'un sujet acéphale, d'un sujet qui n'a plus d'*ego*. Et pourtant il est le sujet qui parle...» (Jacques Lacan, *le Séminaire*, Livre II, Seuil, 1978, p. 200).

4. «Voici celui qui a franchi les espaces, pénétré dans le ciel, enjambé les étoiles, dépassé les frontières du monde, pulvérisé les murailles fantastiques des premières, huitièmes, neuvièmes, dixièmes sphères et de toutes celles qu'auraient pu y ajouter les vains calculs des mathématiciens et l'aveugle obstination des philosophes vulgaires... Il a donné des lumières aux taupes, la lumière aux aveugles» (G. Bruno, *les Fureurs héroïques*).

5. Marque d'exclusion (bannissement, exil, rejet), la marge est *sacrée*: le saint et le maudit coexistent en elle sans s'annuler. Comme le dit Kafka: «Celui qui est puni n'est plus celui qui a

commis l'acte. Il est toujours le bouc émissaire.» La littérature, prenant la relève du sacrifice dont elle est en partie l'héritière, mène à son terme la logique du procès à travers l'excès qui le consume, *mais par-delà le sacré*.

6. Il s'agit de la réponse du Professeur Jones à la onzième question de Livre I, chapitre 6, de *Finnegans Wake* (p. 148-168). Joyce a travaillé à ce seul chapitre du début de 1926 jusqu'à la fin de l'été 1927 où il a pu enfin répondre pour Jones à la fumeuse question 11 (la plus longue) que j'intitulerais «l'affaire-femme», lui adjoignant à l'automne la fable «The Mookse and the Gripes».

7. Principe de l'écrit joycien: «Passing. One. We are passing. Two. From sleep we are passing. Three. Into the wikeawades warld from sleep we are passing. Four. Come, hours, be ours!/But still. Ah diar, ah diar! And stay.»

8. Ceci reste à prouver, mais il me semble évident, à disséquer ce passage de *Finnegans Wake* que Joyce a eu sous les yeux ou a entendu parler des écrits d'Ernest Jones, biographe de Freud. Dès le début de sa réponse à la question onze, à propos du «woemaid sin», Jones s'assure que tout le monde reconnaît sa compétence: «And I suppose you heard I had a wag on my ears?» Cette agitation de l'oreille, d'une queue dans l'oreille, est à mettre en rapport avec «La conception de la Vierge par l'oreille» (1914) d'Ernest Jones dont le moins qu'on puisse dire est qu'il rate la dimension théo-logique de l'opération que

Joyce, au contraire, va examiner sous toutes les coutures. Quant à son «Étude psychanalytique de l'Esprit-Saint» (1922), Jones la conclut en postulant que l'idolâtrie de Marie génère dans le catholicisme l'autocastration et une attitude homo-sexuelle: «Peut-être peut-on dire que la solution protestante du complexe d'Œdipe mariage des prêtres et abandon de la sou-tane pour un habit plus masculin est le remplacement de la Mère par la femme, alors que la solution catholique consiste à changer l'attitude masculine en attitude féminine.» Joyce va plutôt parodier les «solutions» du Professeur Jones (Ernest ou pas), hérésie de sa «hissheory» (*is she or he?*), montrant que le catholicisme procède par intégration de l'obscénité quant à la question de la femme.

Mais il y a plus important. L'article de Jones, «L'île d'Irlande: contribution psychanalytique à la psychologie politique» (1922), dans lequel il compare l'insularité de l'Irlande (catholique, donc féminine) à l'insularité de la Grande-Bretagne (protestante, donc masculine), me semble au cœur du débat entre the Mookse and the Gripes. Toute l'étude de Jones repose sur l'idée «que l'Irlande s'est trouvée intimement associée aux idées de femme, mère, nourrice et vierge» et, plus qu'aucune autre île, elle croit posséder «les attributs de la vie utérine: bonheur, naissance et mort». Jones prend appui à l'évidence de sa thèse sur le fait que l'Irlande possède une telle «diversité de noms féminins» pour se nommer, diversité que Joyce canalisera sous le trigramme d'ALP. Encore là, Jones ne peut s'empêcher de clore son analyse d'une solution, politique cette fois: «Mais on me permettra peut-être de suggérer que l'Histoire aurait pu être différente si l'Angleterre avait eu quelque idées des faits dont je viens de parler, et si au lieu de violer la vierge Irlande comme si elle était une prostituée, elle l'avait courtisée en lui offrant une alliance honorable.» Il suffisait d'y penser: le mariage comme solution protestante de rechange à l'idôlatrie de Marie.

9. Dans ce «péché fait femme», s'entend aussi *Who made sin?*, au double sens de «faire»: commettre et inventer le péché. C'est bien la question que Jones est chargé de démêler en reportant cette faute (de goût) sur le catholicisme.

10. Il est nécessaire d'insister sur ce «habet» dans tous les sens de *habeo* pour savoir qui possède et maîtrise *ALP*. Quant à la lettre M, elle «traduit le pouvoir de faire, donc la joie, mâle et maternelle; puis selon une signification venue de très loin dans le passé, la mesure et le devoir, le nombre, la rencontre, la fusion et le terme moyen: par un revirement enfin, moins brusque qu'il ne le paraît, l'infériorité, la faiblesse ou la colère» (Mallarmé).

11. Dont le mode d'opération a à voir avec ce que la chirurgie médicale nomme *transfixion*.

12. Dans leur *Vocabulaire de la psychanalyse*, Laplanche et Pontalis réduisent considérablement la portée de l'*Entstellung*, sans même mentionner la reprise de cette notion par Freud dans *Moïse et le monothéisme*. Dans les *Écrits* de Lacan, au contraire, elle reçoit sa détermination «comme le glissement du signifié sous le signifiant» dont l'incidence est marquée par la *Verdichtung* et la *Verschiebung*. Elle est «cette ex-sistence du désir dans le rêve».

13. «Qu'*il n'y a pas de rapport sexuel*», explique Lacan, «ne se supporte que de l'écrit en ceci que le rapport sexuel ne peut pas s'écrire. Tout ce qui est écrit part du fait qu'il sera à jamais impossible d'écrire comme tel le rapport sexuel. C'est de là qu'il y a un certain effet de discours qui s'appelle l'écriture» (*le Séminaire*, Livre XX, Seuil, 1975, p. 35-36).

14. *L'Interprétation des rêves*, P.U.F., (1926) 1967, p. 130.

15. Pour autant que le Christ, par résurrection, est dégagé et affranchi de la Loi. «Nouveauté de l'esprit», comme le rappelle Saint Paul, et non plus «vétusté de la lettre».

16. Barthes prend le mal à sa racine lorsqu'il souligne dans sa *Leçon* que la langue, en tant que performance et profération, est *fasciste* en ceci qu'elle «entre au service d'un pouvoir», non en tant qu'il interdit, mais *oblige à dire* selon «l'autorité de l'assertion, la grégarité de la répétition» dont la langue est porteuse. À quoi Barthes oppose la littérature qui triche (avec) la langue. Ce qui ne veut pas dire, comme on a tendance à le croire trop rapidement, que la littérature ne travaille que sur le signifiant, mais aussi sur le signifié dont il est l'effet — sans quoi vous ratez la *signifiance* au profit d'une *signifiôse* qui consiste justement en répétition grégaire.

17. Cf. notre «Intervention du parlogue», *la Nouvelle Barre du Jour*, no 76, mars 1979.

Fragments d'*im*posture

S'il écrit seul, seul à écrire, c'est que
mieux vaut être seul pour apaiser l'imposture. L'imposture, ce qui en impose dans
le souhait détourné de mourir (d'écrire).

Blanchot

1

À la nuit tombée, don et abandon. Il n'y a pas
d'autre rapport ou apaisement.

2

Il a passé la nuit au bord de l'écriture, seul témoin
de sa peur, sans rien écrire. Pendant qu'il veillait, une
autre nuit est revenue qui, passant outre à cet état de
surveillance, le supprime, corps toujours trop précaire
pour lui correspondre avec autorité. Pourtant il était la
nuit, l'enfant trouble de son nom dont il attendait l'éclat
désiré, soudainement arraché à l'obscurité qui l'appelle:
mémoire rompue par l'attrait du nom qui l'attire pour

aussitôt le prendre en défaut, passage écliptique par où défaille le temps — *le temps de le dire.*

Ayant passé la nuit au bord de l'écriture, seul témoin de sa fatigue, il avait écrit dix lignes de plus, excédant le cloaque de sa nuit.

3

Correspondance. — Entre deux lettres mises à la poste, l'état d'*im*posture *à mon corps répondant.*

4

Sans l'*im*posture, chacun se croirait toujours déjà à son poste. Avec elle, au moins, reste la possibilité d'exploser sur place.

5

J'appelle *im*posture, non ce qui remet la mort à sa place, mais entraîne la mort dans l'imposture qu'elle est.

6

Ce n'est qu'en mourant. — Écrire n'a qu'un seul ennemi: le sommeil qui, sous une épaisse couche de silence, m'attend au fond des choses où je glisse. De ce qui se rompt je ne connais que le pli, celui par lequel s'avoue ma peur devant l'horreur si mal dissimulée de moi-même. Le rêve fait la différence. Par là j'entrevois, comme si je sautais par la fenêtre, toute la bêtise que j'essaie de taire en moi. Mais lorsque j'écris, je vais au devant de ma bêtise. Chaque fois je touche un peu plus le fond et, là où le sol me manque, je ne touche en fait que ce point d'exécration qu'est le *moi* qui me tient lieu d'existence illusoire en tant qu'il représente le mourant, la personne du mourant, et non la mort.

7

L'*im*posture, ce qui échappe à l'impatience, non à la passion.

8

De l'*im*posture, si je ne m'abuse, témoigne la patience de la vérité dont elle marque l'initiative de faire voile.

9

L'imposteur — patient en cours d'*im*posture, de ne plus tenir en place.

10

L'«écrivain»: il en dit seulement moins qu'il n'écrit.

Il atténue ou clarifie sa pensée sous l'effet d'un passage à vide.

Ce qu'il écrit enfin met en jeu la forme de son être réel qui, s'il entretient l'attente et le désir, ne se fait pas voir.

C'est plus laconique et moins secret. Plus bref et plus prolixe. Plus concentré et plus dilaté.

C'est pourquoi celui qui veut reconstituer l'expérience d'un écrivain par sa manière de ne pas dire quelque chose, se heurte nécessairement à un personnage en suspens (ou en transit), *multiple en personne.*

11

Aucune caravane ne lui restituera le désert ni ne le ramènera à l'humanité: c'est le prix à payer pour sa trop longue marche.

12

C'est seulement parce qu'il a échoué qu'il lui est permis d'affirmer qu'il a fait tout son possible. Cependant il ne relâche pas la tension, il est seulement plus fatigué.

13

Entre le sophiste et Socrate, il y a une différence dans l'*im*posture en ceci que Socrate *sait* l'imposture dès qu'elle s'annonce *dans la bouche de l'autre.* S'il est possible que la bouche mente, pour reprendre une formule de Nietzsche, la vérité se dit dans la grimace qu'elle fait pour mentir. La philosophie depuis Socrate, c'est-à-dire depuis qu'elle s'enseigne, a la prétention de ne plus grimacer, encore moins de rire, s'affairant plutôt à boucher le trou *d'une antique contorsion.* Et maintenant qu'elle fait la moue, la voilà boudée.

14

Psalmodie. —
L'échelle de la nuit
son appel sa hantise
ce passage
qu'à peu près je suis
décollé du nom
dont il ne me reste que l'accent
de plus en plus étranger
dans la nuit qui l'emporte

Une voix désertée hurle
entre les pierres du lieu
que j'amasse
sous le ciel écrasant
en vue du repos qui ne viendra pas

Quelqu'un parle
dans ma propre pensée
environnée de rêves
et c'était mortel
quand il a parlé
l'autre
à mon oreille
dont j'habite le secret
pour le lever

15

La nuit ne fait que répéter la question de la nuit:
est-ce cela, la nuit? À celui qui ne peut lui répondre, la
nuit vient doucement.

16

L'*im*posture — telle que je l'entends comme performance dans le déplacement et la déformation — éprouve les interstices du *pouvoir* dont elle expose la place et la lutte des places sans s'y fixer. Cet art de peu de morale, *a*moral faudrait-il dire, relève de la guerre, «est basé sur la duperie» (Sun Tzu) et concède «toujours l'avantage au parti de l'artifice» (Gracián). S'il y a déplacement, feignez l'*impotence*; déformation, forcez l'*impossible*. Devant cette instance processive et excessive, le jugement de l'esprit et la vérité de l'art se dérobent, à la fois démis et absorbés.

17

Tics, tics, tics. — Sa surprise vient de ce que la plupart des écrivains qu'il fréquente ne savent pas ce qu'ils disent lorsqu'ils s'emploient à dire *je*. Sans cesse ils parlent d'eux, du moins ils le donnent à croire, comme si leur existence était assurée, mieux: les rassurait. Ils s'ébrouent sans pudeur pour mieux se dissimuler. Aventuriers sans aventure, leur montre retarde.

18

L'*im*posture ne s'impose pas d'elle-même, quoiqu'en pense l'imposteur.

19

La littérature oscille entre la diversion, la transmission, l'intimation ou provocation, l'exercice de la mort, la séduction des femmes.

20

L'*im*posture *comme telle* est impossible, personne ne pouvant parler *en son nom* comme le sien propre. Seule la littérature, en tant qu'elle s'écrit, peut en convenir.

21

Toute poésie vaudra *enfin* ce qu'elle aura valu comme critique de la philosophie (son agitation infinie) et dépassement de la poésie (différente d'elle-même).

22

Il n'y a de mémoire que *palpée*, c'est une affaire d'amour. L'image se brouille dès qu'elle est prise pour l'objet. D'où les troubles, les trous d'un sujet en impasse. Et tous les repentirs qu'elle a retenus dans le filage de sa *réson*.

23

L'*im*posture *retrouvée*. — Ne souffrant aucun refuge, l'*im*posture est insaisissable. Rien ne la prouve. Mais ce «rien» n'est pas *rien*, seulement l'écho de tout ça que, par moments, elle répercute à partir de cette place où je *dis* ce que *je* dis. Cette place — et un imposteur peut se contenter de l'occuper, mais alors il l'usurpe

— est celle par rapport à laquelle, m'installant, je mens, je *me* mens, et dont l'écho réveille en moi le mensonge pour me le renvoyer en ce point où, allocuté, je me fais parler. Par cette répétition, je suis en passe dans le dire. Il faut seulement un peu de silence pour m'entendre parler et, dans cette intermittence, beaucoup d'oreille.

24

Entre la liberté de pensée et la liberté de parole, tous choisissent cette dernière n'en connaissant pas le prix, lui la première parce qu'il n'a rien d'autre à communiquer que la fragilité d'une pensée qu'il ne peut céder à d'autres sans se mettre lui-même en danger de lui manquer. Cette exigence dans la pensée, les tenants de la libre expression la lui reprochent — comme si le libre accès de la pensée n'était pas la condition de l'exercice de leur parole.

25

Écrire: donner ce qu'on n'a pas — à ce point où la gratuité est cela même qui coûte le plus cher. Son prix: le salaire du diable, une démonographie désintéressée qui redouble le Simulateur lui-même. Ce qui fait de l'écrivain un *contemptateur*.

26

La littérature est hors-de-prix. D'où le mépris général dans lequel on la tient — à commencer par ceux qui la professent.

A: «Où que vous alliez, je vous suivrai.» -B: «Mais si vous me suivez, vous risquez aussi de me perdre.» -A: «Croyez-vous sincèrement que vous pourriez m'échapper?» -B: «Il y a des moments où l'ombre disparaît derrière celui qui va ainsi sans suite.» -A: «Il y a aussi des moments où il faut prévoir toute disparition éventuelle et précéder l'ombre fugitive de celui qui cherche à disparaître au regard de qui le suit.» -B: «Alors vous m'accompagnerez?» -A: «Nécessairement! À votre tourment, j'emboîterai le pas. Jusqu'au bout.» -B: «Même si mon tourment n'était imputable qu'au poids de votre présence furtive qui me harcèle?» -A: «Alors vous devrez me supporter comme la présence ininterrompue du tourment qui vous fait fuir.» -B: «Quand voulez-vous partir?» -A: «Dès que je vous serai devenu insupportable.» -B: «Où désirez-vous vous rendre?» -A: «Que m'importe maintenant! Là où votre désir vous portera, je vous aurai précédé de peu.» -B: «Dans ce cas, attendons encore!

28

L'*im*posture advient à un et un seul sujet qui, mis en jeu, se sait hors-place, hors-monde, à travers les ténèbres où chacun se croit à sa place et mis au monde.

29

«La main qui écrit va droit et en spirale. Son chemin est un et le même», dit Héraclite. Trouvez, dans le volume de l'écrit, le point d'où ça se profère et vous entrerez aussitôt dans un état de prolifération suspendu et ouvert, écoutant les choses les plus étranges sous une apparence de sérieux. Au point où la main qui écrit ne se pense pas comme identique en regard des directions qu'elle prend, affirme ou multiplie, et ne se soumet jamais à l'Un et au Multiple dont elle marque l'enjeu et la violence du passage.

30

L'imposteur — témoin à charge contre lui-même — ne représente de l'*im*posture que sa *caricature*, un effet de pesanteur dont la fonction inconsciente — sa *fictio* comme figure exagérée, altérée et grimaçante — dramatise l'être avec autorité.

31

Divers philosophes pourraient nous faire croire que Dieu est leur *bête noire*.

32

L'imposture ne connaît pas de forme verbale pour désigner ses opérations qui portent sur le corps parlant en toute ignorance de cause, cependant que l'*im*posture s'insinue à travers les défilés du nom sous lequel un corps, quoi qu'il dise, croit parler en s'identifiant à ce qui l'interpelle.

33

Rabelais disait de l'imposteur qu'il était pire que la peste qui ne tue que le corps, alors que lui empoisonne les âmes. Cependant il n'explique pas pourquoi chacun fuit l'imposteur comme la peste. C'est que l'imposteur comme la peste ne sont que les métaphores d'un mensonge ou d'une souillure qui, échouant à se dire, témoignent de l'*infection* du lien social dont chacun refuse d'être le porteur, l'auteur, l'autre.

34

Haro. — L'*âne*, propagateur de l'imposture est aussi porteur de la peste dont les animaux sont malades. Il est du droit de chacun d'arrêter le coupable, de se décharger sur son dos. Entêtement de l'âne sans tête où pointe la révélation de ce qui leur reste caché ou adiré.

35

L'ironie du sortilège. — Si l'*im*posture reste *à dire*, s'immisçant entre les lignes du dit, rares sont les imposteurs. Ils manquent à l'appel par impatience et par méconnaissance ils sont pris en défaut. Chaque fois ils ratent la portée de l'interdit qui seul permet le déplacement à l'intérieur de ce qui, avec raison, ne se dit pas. Quand ça parle *de* l'impasse, personne ne veut rien en savoir ni en découdre. Tant qu'il y a *de* l'imposture, rien n'est encore assez dit et persiste le malentendu.

36

Mise en question de la vie quotidienne: aucun écrivain ne suffit au saisissement de cette violence dans l'oubli dont il est le point d'altération. Question de psychopathologie où un sujet qui croit tenir dans sa langue (ou bien tenir sa langue) bute, glisse, dérape par ignorance du temps dans lequel il advient. Affrontant cet intolérable, il est troué, trié sur le volet, retourné à ce lieu de naissance qui lui revient comme impossibilité à soutenir sa propre naissance. Ce qui rate doit se détailler: effet de répétition, *trialogie*.

37

Qu'est-ce que la mémoire prend sur elle d'effacer? L'attente de l'amoureux, la débilité et la défaillance du montage de sa comédie qu'il prend trop au sérieux pour en rire.

38

Vous ne lisez plus les livres, ceux qui rendent intelligible l'*in*-viabilité de ce monde, vous les brûlez de la haine qui éclate dans votre regard.

39

L'*im*posture: l'autre nom de la littérature — le *malentendu* constant qu'est la littérature, le *malaise* dont elle accentue la prise en compte afin d'éviter d'être à son tour reconduite au sommeil de l'espèce.

40

Pour ses détracteurs, il brûle ce qu'il a adoré; pour ses adulateurs: il adore ce qu'il a brûlé. Quant à lui qui en a assez d'être seulement blâmé ou loué, il se brûle de ne rien adorer, aggravant de la sorte le malentendu.

41

Ce qui manque à la littérature dite «québécoise», le coup de force dans la pensée et le *don* qui puissent la mettre en jeu. Elle se laisse panser par n'importe quel cataplasme de la pensée qui l'assoupit. Par manque de générosité, dirait Borduas, elle se cantonne dans ses frontières au lieu de les repousser.

42

L'obsessionnel — et il est bien possible que j'en sois un — trace des frontières qui, au lieu de tenter leur franchissement, ne le tiennent si bien en main que parce que, doutant avec force de son projet, il les redoute. De cela il fonde sa certitude, au point de la convertir en absolu. Dans cette perspective qui l'envoûte, il monnaye sa vision du monde.

43

Il n'y a de rêve que dans l'oubli où je suis de la nuit qui le fait revenir non comme une résolution mais une exaspération de ce que *j'étais* depuis le commencement — à ce point où je ne veux rien en savoir, sinon sous le motif du souvenir dont l'anecdote s'inscrit en tant que résistance du temps. Mais écrire s'apparente au rêve pour autant que cette opération n'est pas bloquée ni tendue par la projection et la représentation en trois temps de la catégorie du temps. J'écris en ramenant le temps du trauma dans le temps, tel qu'il transparaît dans le rêve et l'oubli qui le répètent. Ce dont témoigne la *recherche* (ou l'expérience) d'un écrivain, c'est ce passage et cette traversée d'une limite de temps en tant que le temps tressaille et foisonne dans les retombées de l'écrit. *Du temps est perdu* pour se dire *comme retrouvé*.

J'écris la nuit pour saisir à la course ce vol du temps qui me déplace. Question de *décollement*.

44

Qui lui cherche noise, le trouve — en train de débusquer toute pensée sournoise.

45

Résurrection: effet de corps multiples qui battent dans la révélation. Retour du dénombré dans la levée du sens. Qu'un écrivain l'affirme, aussitôt tout est mis en place afin de le tenir pour mort, alors que lui, toujours *prévenu*, en est quitte de cette place qu'il laisse vacante.

Seule la résurrection rend compte du caractère d'être désabrité (je dirais: *désabrié*) de la «vérité» (*alètheia*).

46

Comme imposteur, le porteur d'écrit est aussi, au sens fort, un porteur de faux (*le plagiat*), un porteur de germe (*la peste*). Dans la tourmente qui le fait écrire, il prend contact avec l'innombrable des hordes[1].

47

Il est certain que, par rapport à l'*im*posture, trop tôt je mourrai sans en avoir prévu toutes les conséquences, et, avec ce souci que j'ai d'exposer l'autre à la contagion, je ne saurai jamais si, lui échappant, je suis parvenu au bout de ma propre destitution. Mais je reviendrai d'entre la marée des morts, au moment du revif où plus rien ne demeure en place.

48

Jusqu'à la fin Socrate s'abstient de tout, sauf de parler. Le visage couvert, il donne de la voix à la mort parlante qui monte en lui. État aigu de détente par lequel il surplombe, dans la joie, sa mort en train de le détacher du corps, des pieds à la tête. Devant l'intensité du moment *qu'il vit*, ses disciples de seconde main n'y entendent rien. Le visage maintenant découvert, mais la voix se voilant à son tour, du bout des lèvres il leur fausse compagnie sous la forme d'une prière abrégée en énigme. Mais Criton d'insister: «Vois cependant si tu n'as rien d'autre à dire!» Tout était dit. La dernière apologie du *meilleur des hommes* qu'en tire Platon à l'enseigne de l'Académie, s'assure ainsi d'une conclusion nominale à son syllogisme: Donc *Socrate est mortel*. Comme les autres et selon l'ensemble[2].

Passant à la visite de Socrate, Kierkegaard lui renouvelle sa compagnie: l'autopsie de la foi dans la conscience du péché, la décision de l'instant comme dieu dans le temps.

Mais cette boucle de l'agonie de Socrate, Samuel Beckett l'ouvre à nouveau, en reprend l'exercice mortel dans *Compagnie* en tant qu'invention performative et explosée de la mort dans le dénouement de la voix — et de l'entendeur et de soi-même en perte d'identité. Étrange «compagnie» où le dernier mot fait paragraphe, flottant et détaché: *Seul.*

Reste Bataille: «La mort est en un sens une imposture.» Reste l'amitié complice: «Il est plus difficile de se perdre seul.» D'où cette conclusion immédiate: «renoncer à être *reconnu*.»

Dans l'entente de la nuit qui, sollicitée, se dérobe à l'entretien...

49

L'imposture joue d'une méprise dont elle est partie prenante, alors que l'*im*posture (du moins celle dont je tente l'approche toujours dérobée) suppose, plus qu'elle n'impose, le mouvement agité d'une surprise qui n'épargne rien ni personne, surprenant même toute imposture qui la redoute comme la peste.

50

La solitude n'est pensable que parce que l'ensemble l'exige. Dire que je suis seul d'entre les hommes pour écrire, serait encore faire preuve d'un acte de solidarité ou croire à l'éventualité du salut ou du merci. Cette équivoque, Camus la met en scène dans *Jonas ou l'artiste au travail* où, à une lettre près, l'indécidabilité du dernier mot — *solitaire* ou *solidaire* — dépend moins de l'expérience que communique le peintre dans le déchirement de ce mot, que de l'existence limitée de celui qui y dépose son regard.

Qui me lit est plus seul que moi qui le renvoie à l'état de désagrégation de l'ensemble à partir duquel son existence est limitée. Écrire — ou peindre — ne tolère aucun délai ni n'accorde aucune attention à celui qui en a pris la décision et qui maintient le tranchant de cette décision. Sa décision ne répond, cependant, que de la plus grande dérision dont la nuit, l'éblouissement de la nuit, marque l'échéance.

51

Écrire comme forme de l'oblation.

52

L'imposteur, toujours autre qu'il *naît*.

53

L'imposture seule, du fait qu'elle soit nombreuse, pousse la nuit à cet éblouissement qui parle en moi et auquel je suis appelé à répondre comme si c'était l'*imposture*, l'*énigme* dont j'ai à dénouer ce qui, depuis toujours, a déjà disparu sous ses traits.

54

Quand Kafka note que jamais il n'a appris la règle, ce n'est pas par ignorance ou méconnaissance. Il faut entendre là, en écho, la formule de Nietzsche pour qui l'apprentissage dans l'éducation tend à *ruiner les excep-*

tions en faveur de la règle.

Que l'exception confirme la règle, voilà bien une règle qui, se voulant sans reste, s'infirme d'elle-même. Figeant l'exception, l'isolant pour la ruiner, cette formule se porte garant, prête sens à l'identité d'une commune mesure dont se soutient toute communauté afin de taire avec obstination les glissements et les déplacements de son histoire. En finir avec l'exception, c'est s'assurer et maintenir la bonne marche de l'ensemble, donnant à chacun le même objet de mépris à la peur qui le ligature aux autres.

La littérature, au contraire, porte ombrage à l'histoire ou plutôt l'éclaire sur sa face cachée. Un écrivain ne cesse pas de se mesurer au sens commun, à la règle dont il exhibe le procès d'intention et le secret de son pouvoir. C'est même de là qu'il part, de cet horizon bouché à partir duquel il dit le drame qui le traverse comme le lieu d'une expérience singulière et le plus souvent désespérante. Vivant continuellement en état d'exception, il n'a d'autre prétention que de s'impliquer dans cette *affaire publique* dont il soupçonne le lien social quant au meurtre qu'elle recouvre.

Depuis Platon, la naissance de la république dépend donc de la bonne ordonnance de la poésie qui doit *remédier*, c'est-à-dire endormir, à l'excipience, à l'interpellation et à la percussion de cette voix-là.

Quant à Freud, sa théorie du caractère des exceptions confine la littérature au rêve éveillé. Le droit à l'exception dont se réclame Glowcester dans *Richard III* n'est pour lui qu'une forme de compensation qui permet à Shakespeare de maintenir l'identification au héros. Rien à dire de l'exception qu'est Shakespeare, sinon que l'efficacité de son art pour rendre l'illusion possible détourne Freud de sa réflexion critique. Comment? Par le dosage d'*une subtile économie* que Freud n'éclaire pas, baissant les armes encore une fois devant la littérature.

Que serait une culture de l'exception? Selon Nietzsche, une *culture de serre* dans laquelle le dosage d'un art de l'*expérimentation*, du *risque* et de la *nuance* produirait assez de forces pour que même le gaspillage (la perte, la dépense, le sacrifice) *devienne «économique»*.

C'est par la prise en compte de l'exception *dans son rapport à l'ensemble qui le nie* que Bataille parvient à rassembler les premières données d'une théorie de l'*économie générale*[3].

55

Haec igitur nox est: seule la nuit met un terme à l'apparence des êtres et des choses qu'elle brise avec légèreté, brisant le faux jour qu'ils sont dans un silence de pierre. Suis-je le seul à prendre la chance de cette nuit qui me consume aussi froidement, prenant part au silence qui me parle de l'oubli où je suis subitement tombé, remontant le silence qui met fin au langage dont j'étais l'objet? Écoutez sous voix ce qui se tait d'une façon encore parlante, hors de ce que c'était dans la parole.

56

Dès qu'il y a nom, il y a fraude qui, spéculant sur le propre, met à profit un «faire-valoir» dont ce nom est censé être le garant. L'*im*posture, elle, tient le coup et le compte d'un nom en prise dans le frayage d'une langue qui le surprend en train de parler les démêlés du sien propre. *A warping name in process* résume assez bien cette opération singulière que signe le nom de Joyce.

Simuler l'esprit du faux. — Dans le *Quichotte*, Cervantès, un moment *désorienté* au milieu de la «juiverie de Tolède», s'attarde devant un manuscrit aux «caractères arabesques» (lisibles de droite à gauche à l'envers des caractères castillans) qui se révèle, après discussion, la version originale du livre qui, faute de l'écrire, le prend en flagrant délit de traduction, déchiffrant le texte d'un certain «historien arabique» du nom de Cide Hamete Benengeli qui le double, mais dont la doublure — *mauresque* — est à son tour prise en défaut puisque, par un étrange renversement, on ne peut attendre «aucune vérité» de ces Maures qui sont «tous hâbleurs, faussaires et rêvasseurs». Ainsi la trouvaille de Cervantès, payant un faux authentique d'une traite aux langues, s'obtient en tuant le vrai Don Quichotte au détriment du faux. Pas étonnant alors que le *Quichotte* ait pu intéresser l'empereur de Chine au point de le mettre au programme d'un collège qui, fondé par lui, assurerait l'étude de la langue espagnole, invitant Cervantès à devenir le recteur de ce collège.

Mais il y a plus.

S'il est vrai que *Don Quichotte* détruit les illusions romanesques des récits de chevalerie, il n'est pas moins vrai que, par ce renversement parodique de la mauvaise littérature, Cervantès *accomplit* positivement les valeurs d'une véritable épopée moins chevaleresque que chrétienne («La chevalerie est une religion»). Dostoïevski, dans son *Journal d'un écrivain* en date de septembre 1877 («Le mensonge sauve le mensonge») a très bien compris cette vérité chrétienne du langage, sa compassion pour l'errance, lorsqu'il explique que Don Quichotte, après avoir fait l'expérience malheureuse de la fausseté d'un fait certain rapporté dans les écrits supposés véridiques, *sauve la vérité* et *le réalisme* de ce fait en inventant, pour l'expliquer, une fiction encore plus extraordinaire, plus grotesque et plus absurde. C'est d'une dérision *absolue* qui confine au sublime: l'imperturbable folie de Don Quichotte contre l'enchantement du monde auquel *il renonce* lorsque, devenu sage, il comprend qu'il n'a plus rien à faire en ce monde. Comme le remarque encore Dostoïevski: «Ce livre, le plus *triste* de tous les livres, l'homme n'oubliera pas de le prendre avec lui au Jugement dernier.»

L'apocalypse n'est peut-être rien d'autre que ce moment comique où est révélée à l'homme le secret de son sort et le non-sens du monde qui l'habite. Un écrivain, dans le coup de cette révélation *parlée* qui laisse *passer* la vérité, s'engage avec joie dans la disparition.

58

L'éblouissement de la nuit diffère du crépuscule des mots qui, l'approchant, n'épuiseront jamais sa violence.

59

Ex proprié — Qui n'a plus d'abri succombe à une dernière tentation: faire de l'écriture le lieu qu'il habite. Alors s'engage un long combat avec la folle du logis. Dès qu'il s'installe, il est aux prises avec le poids de plus en plus mortel de l'image qu'il se fait de cette place. Dès qu'il écrit sur le mode qu'il a d'habiter ce lieu, aussitôt il est violemment expulsé.

Il y a une figure du Juif dans le langage, dit Adorno, ce sont les mots étrangers qui possèdent un pouvoir insaisissable. Pour saisir la portée d'un tel détachement à la limite de l'identité, il y aurait lieu de confronter Kafka *avec* Céline, Jabès *avec* Borges, par exemple, à travers leur montage du style prophétique et les étapes sur le chemin de leur *désêtreté*.

61

Ce dont on hérite, même sous sa forme la plus laïco-théologique ou clérico-juridique, est chaque fois ce *point* de religion comme *ressaisie*[4]. Question de transmission que chacun ravale pour en faire sa petite monnaie. Si la littérature échappe à cette question du besoin religieux, c'est parce qu'en tant qu'expérience elle fait radicalement retour sur le *mal* qu'elle porte pour que, passant par là, il vienne à se dénouer.

L'*im*posture ne joue — d'un jeu qui met en jeu et fait face à l'acte — que lorsque l'imposteur, montrant le défaut dans sa cuirasse, se met à découvert et jette bas le masque (de son désir).

Sur les planches laissées vides depuis la mort des héros, le retour de Dieu comme acte dans la parole qui l'habite vient accomplir cette double articulation du nom dans le verbe, du *je suis* en tant que *ce que je suis*. Rien de plus inactuel que ce présent dans notre présent. Pourtant que de temps[5] est traversé, oublié, en l'avenir du passé pour que, de temps en temps, c'est-à-dire dans l'ignorance du temps et de la contradiction et de la mort, l'inconscient se signe du nom propre de Dieu: *il-y-avait*[6].

64

L'*im*posture, comme principe de substitution permanente, ne transige pas mais dissous toutes les identifications successives.

65

Dieu est abscons, répète Pascal après Isaïe. Inintelligible comme objet, n'étant que le *vide* qui le désigne, il se met *hors-vue* dans la plus grande clarté. Dans le sommeil de la nuit, accordé par Dieu à l'enfant sans connaissance que nous sommes, il dit: *Moi excepté*, nous donnant, par cette procuration, l'illusion d'un salut virtuel.

66

J'écris pour encore respirer, prévenu et convaincu d'*avoir la main coupée*. Question de souffle.

67

Babel. — La confusion des langues qui résulte de la

croyance à donner *un* corps à la langue, ouvre la voie à la dispersion des corps. Premier *lapsus* de l'espèce qui, voulant se donner un nom, usurpait de la place de Dieu. Babel ou *la politique du pire*.

68

Devant ce monde dépourvu de sens, il en aggrave la débrisure.

69

Le risque de l'imposteur, sa tentation retournée en prétention, c'est celle du dictateur qui usurpe d'une place et impose un ordre nouveau, qui rassemble tout le monde sous la coupe de son nom et ne permet plus aucun détachement.

70

Pentecôte. — L'état trouble d'une langue entendue par des corps de dispersion que, par réparation, elle supplée. Les voilà qui se mettent à parler dans toutes les langues, maintenant appelés à une plus grande dispersion.

71

L'*im*posture, dangereux supplément.

72

L'imposteur, s'il doit attendre son temps avant d'inter-venir, doit aussi savoir disparaître à temps. Son acte *théatral* en dépend.

73

Que l'imposteur trompe, cela veut simplement dire qu'on a bien voulu se tromper sur sa personne au point de se laisser séduire. Il met en scène le mensonge dont chacun se croit *exempté*.

74

L'imposteur, toujours coupable, de s'imposer et d'en imposer, s'*expose* à cette question de la vérité qu'il avoue et délivre.

75

Je vais là où j'ai toujours su que j'irais. Ce qui me donne tout le temps nécessaire pour m'interroger sur le *là* d'où je viens.

76

De Socrate je reçois mon pari sur l'*im*posture. Socrate, comme identité à l'horizon impensable mais que la philosophie a la prétention de penser, est le sujet chaque fois translittéré de la philosophie dans la litté-rature — d'où Kierkegaard, Nietzsche, Heidegger,

Bataille et Blanchot, entre autres, quant au prolongement de l'expérience ouverte par la voix de Socrate, et auxquels j'ajouterai les noms de Cyrano, Diderot, Sade, Poe, Dostoïevski, Kafka, Faulkner et Aquin. *Eureka* de l'*im*posture avec, en moins, l'arrogance de la vérité.

77

A: Vous allez bien aujourd'hui? — B: Parfaitement bien, oui. Il en va toujours ainsi lorsque, me levant très tard, le jour commence à perdre de son éclat. — A: Vivez-vous continuellement ainsi entre deux jours? — B: Assurément. Dans l'oubli du jour qui vient, la nuit me donne assez de force pour me vaincre et, à la fin, le sommeil nécessaire qui ne viendrait pas sans cette lutte entre l'oubli et mon indisposition à l'oubli que la nuit libère en s'annulant. — A: Il s'agit donc pour vous de passer le temps... — B: ... plutôt de me perdre en lui afin qu'il revienne chargé de la perte de ce que je suis dans le temps... — A: ... pour que la nuit relève le jour de l'oubli qui vous a fait naître et vivre, depuis, sans jamais plus y penser... — B: ... jusqu'à l'épuisement des forces où la nuit, dans la réserve du temps, décline ce que j'étais... — A: ... comme seule la nuit peut forcer la chance qu'elle épuise en vous. — B: C'est que je préfère, au moment où d'autres rêvent, l'endurance de la pleine nuit qui met en échec la possession du jour à nous soumettre à son joug. Obstinément, je m'abstiens et refuse tout séjour. Sauf au solstice d'été... — A: ... ce jour le plus long qui précède l'anniversaire ou le souvenir de votre venue au monde... — B: ... lorsque je me dessèche en plein soleil pour brûler ce qu'au cours de la nuit ainsi abrégée il ne m'aura pas été possible de lui arracher. — A: Vous défiant du soleil à l'année longue, voici que vous le mettez au défi d'avoir votre peau et de vous rendre aveugle? — B: Qu'un autre réponde à ma place, de cette place inoccupée qui inquiète et met en mouvement: *Le soleil n'est qu'un imposteur; il me plagie chaque jour.* — A: Mise à jour du complexe d'Icare? — B: Plutôt une façon d'être dans l'absolu. Du très grand art qui, disait-il, consiste à *surprendre l'homme en flagrant délit de profondeur.* Menant une double vie, il n'a jamais cessé d'aller à l'encontre de l'ombre qu'il était à lui-même. — A: De qui parlez-vous ainsi? — B: De mon frère posthume qui, en moi, parle encore, du reste excellent écrivain de l'*im*posture dont il a poussé l'expérience jusqu'à ne plus répondre de sa vie, passant sans demander son reste.

78

À travers cette séduction par le langage où il ne cesse pas de dire ce qu'il fait, Aquin en impose au lecteur au point de l'étreindre, de l'agresser ou de le violer, risquant de *décevoir*. S'il renonce, à la fin, aux fausses pistes et aux manipulations qu'il dénonce, du même coup il renonce au lecteur pour entrer en possession de son identité d'écrivain plus précaire et dramatique que jamais. De sorte que, parlant au titre de l'*im*posture mais *en son nom*, l'écrit qui en résulte *à rompre sa promesse donnée* ne se donne pas à lire. *Trou de mémoire* le confirme au niveau du pur blasphème où, par ce procès de parole qui prend en vain le Nom de Dieu, un écrivain dit autre chose qui porte outrage et fait scandale afin de s'*imposer silence*. Risquant à tout instant la chute, s'il renonce à écrire, il se donne la mort.

L'*im*posture, mieux que la doublure qui n'est que son attribut, se mesure à la mort dont elle fait son exercice.

La discipline de la mort n'est approchée que de loin en loin — à la faveur de ceux qui nous sont le plus proche.

L'*im*posture reste intraitable, l'imposteur n'étant jamais ce qu'il avance, non parce qu'il bluffe (ce qui est la moindre des choses), mais parce que bluffant à tout coup il est le seul à savoir qu'il ne bluffe jamais (sa vie étant toujours en jeu). Dans l'ambivalence de ce moment *sacré* dont il est la mise, elle *l'engage* entièrement.

Prévenu d'être dieu (Artaud), porteur d'un meurtre qu'il dénoue (Aquin) ou préposé au lynchage (Pasolini), aux prises avec le nœud de la censure et l'hypocrisie du lien social, s'affrontant à la mort qu'il tourne dans le mal pris en traitement, un écrivain plaide coupable de toucher à l'inavouable du réel, révélant la tension farouchement occulte du sexuel dans le social et qu'il paye de son expulsion.

Il lui arrive à l'occasion de prévoir et d'appeler, s'il

le faut, son *exécution publique* par l'une ou l'autre des *familles* (nationales, politiques, religieuses, sexuelles et même artistiques) qu'il prend à revers de leur rappeler la violence et la rumination dont elles sont porteuses au point de ne pouvoir y renoncer.

Cette «communication intense» qu'est la littérature (Bataille) met en jeu l'*aphasie* de toute communauté quant à ce qui la tient ensemble.

83

Il ne dit *je* qu'en tout dernier ressort, au moment de sauter dans la voix qui n'est la voix d'aucune des trois personnes avec lesquelles généralement il dialogue.

84

L'imposteur m'importe moins que l'*im*posture qui est sans égards et sans réserve. Rien à voir avec le trafic des armes, la contrebande aux frontières, l'usage de faux, l'escroquerie ou l'usurpation des places. L'*im*posture n'est pas une mystification, c'est le *sans nom* que porte la littérature au point où elle excite tous les prétendants-au-nom qui veulent se l'approprier, lui assigner une place sous leur nom.

L'imposteur: une bête traquée qui, même au bout de ses forces, ne consent rien, continue d'ameuter les chiens en les égarant, et dont le dernier cri, si elle est prise et offerte à la mort, se confond avec le cri immémorial de l'espèce.

L'*im*posture ne se dit pas, *elle dit* et elle dit *ce qu'elle fait*.

Golem. — Il est écrit sur mon front: «*Émets* toute la vérité. Si la première lettre s'efface, aussitôt tu la *mets* en terre pour être mangée par les vers.»

86

Le neveu de Rameau, fainéanté, sépare et délivre le sceau du secret. Toujours dissemblable, il accouche de lui-même sans rompre la différence et, par une maïeutique inversée, *il fait sortir la vérité* de ses gonds. Contre-facteur de la vérité: de sa pantomime, il parasite la musique; de sa voix, il tourne le savoir; de son ramage, il torpille le discours moral. Jusqu'à la catastrophe — la pointe aiguë du *dénouement* où il suffoque. Pauvre philosophe, pauvre *Moi*: d'avoir porté le dernier coup (*Hélas! oui, malheureusement.*), il a le triomphe facile. Le neveu, lui, a tout le temps d'éclater de rire.

87

Toujours disponible, au moindre appel il répond. Sa porte reste ouverte. Il sait ce qu'on attend de lui, mais il ne consent rien en retour. Ce qui le rend suspect, c'est de n'avoir aucune autre attention que celle de laisser venir les choses et de montrer à qui le sollicite la partie honteuse où elles se logent. Aussitôt qu'il l'a mis sur la piste de son désespoir, il s'en retourne dans la nuit. De sorte qu'il devient de plus en plus inaccessible. À la fin, il ne peut qu'*éloigner*.

Soliste. — L'art de Kafka opère à partir du paradoxe des conditions que se donne l'*arpenteur*, mais que rien ne règle: d'une part il lui faut prendre en considération cette chance qu'il n'y a de sol que ce qu'en couvrent les deux pieds pour y tenir; d'autre part, l'écrivain qui introduit ce jeu du possible dans l'impossible, est une figure qui n'a pas de sol.

De Kafka, Adorno écrit qu'il est «le solipsiste moins *ipse*». Reste donc cette note dans la voix qui, disant *je* depuis le *lui* qui n'est déjà plus le même, célèbre dans ce *solve* le point de dissolution et de détachement qu'il était au principe du temps. Que voilà le *soll ich* de la formule freudienne dont l'impératif fait revenir de la nuit des temps l'imparfait hors duquel *je* surgit comme résurrecté et, dans ce saut, se conçoit. C'est cet effet de *ponction* que Kafka veut faire entendre, lorsqu'il note: «À partir d'un certain point, il n'y a plus de retour. C'est ce point qu'il faut atteindre.»

Paradis. — Des petites impostures particulières: croyance, falsification des discours, publication, comme des grandes impostures générales: le péché originel, la mort, la sexualité, de cela témoigne singulièrement un écrivain qui advient dans le tressaillement et le fourmillement du paradis dont il est le seuil. Si à Dieu répond le monde tel qu'il nous échoit, celui qui écrit se met hors-monde (dans l'Hélid-Monde, dit l'explorateur[7] de Gauvreau) afin de rendre compte *par son dire* de la possibilité, comme le souligne Kafka, «que non seulement nous puissions continuellement rester au Paradis, mais que nous y soyons continuellement en fait, peu importe que nous le sachions ou non ici.»

90

L'oiseau moqueur. — Du chant du coq (Socrate) qu'on égorge au point du jour jusqu'à l'envol de la chouette (Hegel) à la tombée de la nuit, il ne peut s'empêcher de penser que le regard d'aigle de la philosophie (Marx) a du plomb dans l'aile. Il lui préfère le ton moqueur du *paradisier* que tout le monde prend pour le chant du cygne.

91

Le nécessaire comme fonction de l'écrit, ce qui «*ne cesse pas de s'écrire*» (Lacan) quand insiste, troublant, l'accent de la singularité, fait passer de l'impermanent dans le tissu du semblant où l'un (sexe) se prend pour l'autre. D'où le drame de l'écrivain d'être reconduit, dès qu'introduit, à la solitude du langage par laquelle s'ouvre *sur ses pas* la voie de l'inconscient.

92

Quand il y a de la pensée boudinée en corps par celui qui tient à son sexe, l'horizon est bouché au point où ce qui s'excite là, s'empêtrant de corps au lieu de s'en détacher, fait rage — sa rage travaillant pour lui dans une langue enrayée contre tout ce qui, étranger, la dévoie. Il n'entend plus le poinçon de la voix dans le corps parlant et souffrant ou dans la parole en train de faire corps à nouveau et autrement, c'est-à-dire au-delà de ce qui reste encore de corps en souffrance. De ne plus entendre que sa rage le fait délirer — au plus mal. Et de ne pas prendre son mal en patience, il s'assure d'un autre corps qu'il cuisine jusqu'à ce qu'il ne parle plus.

93

La certitude de mourir rend la mort risible. Paradoxe: très peu ont envie de rire. À la légèreté du rire qui les ferait trembler, ils préfèrent sombrer dans l'ennui croyant ainsi supprimer le temps, ce qui du temps le rend *incessant*.

94

Zoographie. — Des pattes de mouche le font décoller à l'œil.

95

«Vous écrivez» — «Oui. De ne pas être deviné.» — «Vous et moi partageons le même secret.» — «Peut-être! Seulement écrire ne partage aucun secret.»

96

Proverbe. — «Ne te lie pas avec cet homme dévoyé, n'écoute pas la voix de cet imposteur, de peur que tu n'apprennes la vérité au risque de sauter dans la mort».

97

L'*im*posture, bien que nommée, reste sans nom, malgré tout le langage dont use celui qui s'habille en elle. Car l'*im*posture, à se dire, dirait aussi bien l'indéterminé du langage que les voies d'effraction par lesquelles le langage arrive seulement à se dire.

*L'imposteur, lui, se dédit: il dédie son attente et sa tentative à l'*im*posture qui le tente et dont il fait usage de la signature.*

98

L'*im*posture ne se laisse pas surprendre. Je ne peux que l'approcher avec grande difficulté, mais l'approchant je ne pourrai jamais l'apprivoiser — l'*im*posture ne supportant pas la *personne* de l'imposteur.

99

La littérature est *hors*, toujours dehors mais sans horizon, visant l'Autre de tout discours (effet d'étrangeté), tenant ensemble le Nom et le Nombre dont elle affirme par défaut la jouissance. Écran crevé du parricide par où passe et repasse la littérature à travers les décombres et les cauchemars de l'histoire afin d'explorer les boucles et les lapsus de l'espèce, tirant les mailles du refoulement originaire, s'exposant aux résistances qu'elle rencontre et suscite.

100

Il est rare qu'un écrivain meure dans le recueillement, la recollection de l'œuvre au nom. Seul Joyce porte l'exception jusqu'à son point de détachement — de ne plus être la règle. Écrivain de naissance, il n'aura pas attendu la confirmation de sa mort. Du reste sa mort est passée presque inaperçue.

101

Lazarillo. — Comme si, à la place du mort où il se tient, moins par jeu que parce qu'il est exclu du jeu par les autres, il ne cessait d'aller-et-revenir, de descendre et de remonter, pour que ça continue à s'écrire dans cette incessante disparition où il est seul d'entre les morts à rire de la mort de ceux et celles qui la donnent du même geste de consentement à se prétendre en vie.

102

Pour passer à travers la condition humaine, il faut avoir l'air-Clappique. En dernier ressort, avoir la foule comme interlocuteur le confirme dans le plus grand dépaysement. «Dire que faire une histoire, en français, ça veut dire l'écrire, et non la vivre!» Dans le déguisement de sa pensée, Clappique *survit* mais Malraux tremble d'intelligence[8].

103

L'*im*posture n'est que l'autre nom *joué* de l'impossible — à savoir qu'il n'y a pas de savoir possible de l'*im*posture.

L'impropriété de la littérature met en jeu l'invention (le libre usage, dirait Hölderlin) du *propre* que la philosophie, censée le questionner, faussement reconduit à l'appropriation (au nom de...) La psychanalyse, au moins d'intervenir au cœur de la méprise qu'est le sujet toujours en train de se rater et de se littérater, élabore par là les conditions de son exercice — inépuisable à force d'être épuisant.

104

Novalis définissait l'acte philosophique véritable comme une *Selbsttötung*, une expérience mortelle de destruction de soi-même jusqu'au bout de l'horizon transcendantal. Sans quoi la philosophie se condamne à n'être qu'une *Selbsttäuschung*, c'est-à-dire sa propre illusion perçue et reçue sous la forme de l'idéalisation et offerte à l'auto-édification du spéculaire. Ce destructeur d'idoles et d'illusions à l'assaut de tous les moulins à paroles qui ne savent pas pourquoi ils tournent ni de quoi il en retourne, ce n'est pas la philosophie mais la littérature — en son commencement, pourrions-nous dire — qui l'engendre sous la plume de Cervantès et sous les espèces du Chevalier à la Triste Figure[9] (envers immédiat de la Sainte Face du Christ). Ainsi pour Nietzsche, Don Quichotte *s'en allant mourir* est le représentant de cet acte philosophique véritable, Kafka ajoutant qu'il l'*accomplit* comme forme du suicide.

La suite fut reprise à travers les expériences de Pierre Ménard, auteur du *Quichotte*, permettant à Borges de rédiger — un siècle à l'avance — sa notice biographique qu'il destine à quelque encyclopédie de l'avenir.

Savoir disparaître, c'est se rendre *posthume*. Cela se produit comme un éclair au front zébré de l'éternité:

la marque ineffaçable d'un nom qui, impossible à contenir, se perpétue.

105

Comme la poésie, la psychanalyse est une escroquerie, souligne Lacan, en ceci que du signifiant qui s'entend porte l'insistance du sens double, alors que la philosophie tend à effacer cette duplicité et se prend à l'adresse du mensonge qu'est la politique. Cependant la poésie tourne à vide parce que, de la violence dont elle marque l'usage, elle lui donne signification en l'amour. Seule la psychanalyse tombe juste par rapport au signifiant pour autant que du sujet y passe qu'il représente auprès d'un autre signifiant dont l'acte reçoit vérité de se mesurer à la rigueur de l'escroquerie (rêve, lapsus, mot d'esprit) qui en joue sans se prendre au jeu.

106

Pourquoi certains psychanalystes se sentent-ils pris en défaut et en dette devant la littérature, au point de troquer le discours analytique au profit d'une *freudaine* fictive?

107

Il en coûte de parler, tu le sais, mais écrire *se paye comptant* — sans contentement.

108

Double tâche de la littérature. — Si la littérature excède la philosophie, la philosophie est le *sens* de cet excès. Seulement la philosophie ayant été démissionnée, la littérature est aux prises avec cette vicariance du sens dont elle dispose comme *affirmation* d'une expérience singulière dans le champ métaphysique.

109

L'exception ne cesse pas de montrer à la règle la perversité dont elle fait preuve sans jamais la dire.

110

Agudeza. — L'état de *grâce*, c'est l'acuité du trait d'esprit qui fait irruption dans la *pointe* de la parole dont elle suspend le jugement. Il s'agit de mettre un *grain* de contradiction dans la répétition à travers une série de répétitions à retardement et d'affirmer *en parlant* un vide qui ouvre, par cette ruse, à l'au-delà de l'infini. Dilatation de ce qui est enflé, profusion dans la plus simple abréviation, avec comme conséquence immédiate l'enthousiasme d'un art de la désillusion qui confine à l'esprit de socialité absolue. Plus le monde croit au monde et plus c'est comique, au point que l'acuité du rire vous met *hors-monde*. Comme dans le Witz (Schlegel, Freud), l'illumination (Rimbaud), l'épiphanie (Joyce) qui, du *néant* où ça se met à parler du malaise de l'être[10], renforcent les points d'écoute *dans* la vision. Équivoque du verbe dans le nom qui, à la fin, vous *gracie*.

111

Je t'écris parce que, bien sûr, j'ai le désir d'être lu par toi, mais la lettre n'a pas la lecture pour destination. La lettre n'est ce qu'elle est que d'échapper à la lecture, chaque fois perdue, détournée, en souffrance.

Il n'y a rien à répondre ni à attendre d'une lettre — incompréhension de la réponse, déception de l'attente. Décachetée, la lettre livre son sens caché en tant qu'apparence prise à la lettre: le secret qu'elle dissimule est aussitôt voué à l'indiscrétion qu'elle cause.

Retour de la lettre à l'envoyeur: il n'y a pas d'autre destinataire que ce singulier pluriel en train de se prendre en compte dans les renvois.

Je (te) retourne donc (à) ta lettre. Au moins quatre fois. C'est une question de délivrance.

112

L'imposteur, à blouser quelqu'un, ne gagne qu'au moment de tout perdre. Mais il ne gagne que sur lui-même.

113

Avec la plus grande familiarité, l'imposteur effrontément s'immisce dans l'imbroglio familial qu'il bouleverse, rappelant à ses membres qu'il n'est pas *un* des *leurres*.

114

Feinte et dissimulation, mensonge et fausse apparence portent ombrage à l'*im*posture. Seule la séduction dont elle est un savoir *autre* lui donne sens, s'offrant à la séduction et souffrant de séduire.

115

Duplicité subversive de l'*im*posture: elle dénonce toutes les postures dans l'énonciation d'une posture souveraine dont la désénonciation fait la preuve généralisée de l'absence de posture comme possibilité d'occuper toutes les postures. C'est l'art de se déplacer avec entêtement (Barthes) afin de devenir infaillible (Baudelaire) ou, du moins, de se rendre inutilisable (Borduas). Ce qui veut dire que, de temps en temps, il faut : 1) se permettre de fausser compagnie; 2) se porter à l'endroit le plus inattendu, imprévisible et impensable, toujours mal venu de le faire remarquer; 3) pousser l'errance au-delà de la question de l'erreur qu'elle surmonte; 4) faire semblant de se tromper au point de ne plus jamais se tromper; 5) avoir le courage d'abjurer ses propres impostures une fois leur bêtise attestée.

116

Jouer au diable avec le diable, exposer le mal au mal, traiter le mensonge par lui-même et laisser flotter le diabolique dans le dialogique. S'il y a une morale de l'*im*posture comme doublure des doublures, c'est Joyce qui la formule, prenant à revers la coïtération de l'espèce dans le *cogito* qui la somme: «cog it out, here goes a sum. So read we in must book. It tells. He prophets most who bilks the best.» Réveil de la vérité dans la raison qui sommeille, voilà l'impossible auquel s'affronte la littérature comme stratégie de décalage, mais aussi son impotence devant la mort comme réel dont elle fait entendre le «tourbillon d'hilarité et d'horreur» (Mallarmé).

117

Dans les *Apophtegmes des pères du désert*, j'avoue ma préférence pour l'Abba Longin à cause de son art de traiter en quelques mots l'étrangeté dans la langue, l'imposture du nom et la possession par le diable. Mais il y a aussi une femme, l'Amma Synclétique, qui, dans l'ordre d'un sens absent, mérite du désert par son seul nom.

118

Qui a écrit, sur fond d'amour et de vérité lui valant la persécution et le martyre, ce *sepher yetsira* musulman qu'est le *Kitôb al-Tawasîn*?

119

«Le perroquet ne parlait plus que sa langue maternelle.» Combien d'écrivains devraient se répéter cet aphorisme de Lichtenberg. Et lire *Un cœur simple* de Flaubert.

120

Ce que *peut* la littérature — sans personne qui l'engage et ne disposant de personne — c'est de faire parler l'être de la lettre en passe dans la lettre de la Loi qu'elle destitue en l'invalidant.

121

Prenez Cyrano aux prises avec les états et empires de la *raison*, joignez-y les formules de Pascal qu'on appelle *pensées* et vous obtiendrez un traitement de la mémoire au principe de la logique de Lautréamont-Ducasse comme subversion du nom en train de s'auto-déchiffrer en permanence, la question étant de savoir comment sortir du *constatif*: «Rien n'est vrai qui soit faux. Rien n'est faux qui soit vrai. Tout est le contraire de songe, de mensonge.» C'est ce qui s'appelle entrer dans une publication permanente, interminable pour le sujet impermanent qui s'y dépose agité par l'infini, et qui, différant son prix, échappe ainsi à l'emprise de la lettre morte.

122

Pour Bossuet, dans ses *Sermons*, l'imposture est au principe du temps qui, subtil et dangereux dans sa malice, vous trompe, sauvant les apparences et affectant l'imitation de l'éternité. D'où la nécessité d'être *péni-tent*. Mais l'*im*posture, au sens où je l'entends de prendre corps dans le détachement du corps, gît au cœur même de cet *in illo tempore* quand j'écris, écrivant dans ce laps de temps qui passe le temps du lapsus qui le célèbre, advenant dans cette perte du temps comme s'il avait eu le temps de parler sa propre dissolution que je signe si je me conçois. D'où la nécessité du *printemps*, du saut dans le temps qu'il fait — à le dire *prime* dans l'*em-preinte* du paysage qu'il lève en multipliant ses apparitions.

123

Simuler l'esprit du mal. — Avec des mouchetures devant les yeux, Abel Beauchemin l'écrivain, «devenu écrivain pour se délivrer de tout le mal qu'il y avait en lui», fait de sa vie un combat pour la littérature et par la littérature il combat cette incurable blessure qui le *contraint* à écrire et, écrivant, à s'exposer plus encore au mal qui le dévore. La continuité de ce combat au nom de la littérature, mais dont le dernier mot lui échappe, est sans cesse interrompue — pour son malheur — par son chat (Sancho Pança), toujours à la recherche de sa mère, et par toutes les dulcinées de l'imposture féminine. Reconduisant chaque fois les doublures qui l'assaillent, Abel éprouve l'irréductibilité du mal et, à travers ses inconduites, à la fin il avoue: «Le mal est dans ma lucidité.» Voilà le *Don Quichotte* de Victor-Lévy Beaulieu qui fait passer dans la dimension du manche et de la tache (*mancha*, en espagnol) la *vérité* qui le démange et, au-delà de l'écriture, le détache (*démanche*). Cette *séparation*, «perceptible seulement dans le silence de la mort», ne s'obtient qu'à maintenir, pour la dire dans ce *nunc* de la nuit, le mensonge des mots pour lequel et par lequel Abel «avait commencé à mourir».

124

L'*im*posture, à la fin, conduit la pensée à cheminer en silence, jusqu'à cette pointe acérée où le silence s'impose — disposant de l'imposteur. Dans ces conditions, il est inutile que l'exigence du retour boucle le parcours, que les *Holzwege* débouchent sur un *Feldweg* désappointant. Aucun terreau natal ni aucun tertre funéraire ne vaut que le passeur s'attarde[11].

125

L'état de grâce, libérant l'air ambiant, la sainteté ou l'extase, autant d'opérations de cruauté envers soi-même.

126

«Ce séducteur», *«cette nouvelle imposture»*, disait-on à Pilate après la mort du Christ, l'incitant à faire garder son tombeau afin que ses disciples ne volent son cadavre et laissent croire à sa résurrection telle qu'il l'avait lui-même annoncée pour le troisième jour. Voilà le résumé de la cinquième lecture de la seconde nocturne de l'Office des Ténèbres du Samedi Saint.

Dans l'ordre de la séduction et de l'*im*posture, il est difficile de faire mieux puisqu'il y a eu *résurrection*, c'est-à-dire incorporation de la promesse dans la levée du corps en vue du plus grand détachement. Seul le Christ tient jusqu'au bout son serment, d'être dans le coup d'une parole qui anticipe la fin de son corps en transsubstantiation, revenant pour signer d'une croix dans le Nom cet acte d'énonciation avant de disparaître à nouveau — au grand scandale de tous. Pas étonnant alors que cette opération intéresse tant la littérature en tant que procès de parole qu'elle parodie sous la forme du blasphème en prenant Dieu à témoin du mal dont elle traite, ou qu'elle ironise comme expérience de langage dans le verbe.

127

Tartuffe, l'imposteur, Don Juan, le séducteur, tous deux joueurs autant que joués, habillés en faux dévots, conviés au banquet familial dont ils révèlent — par méprise — la *dévotion politique* sous le manteau d'une religiosité hypocrite et conventionnelle.

128

L'imposteur ne trompe pas, au contraire il est cet homme détrompé.

129

Quand le jour tombe, par-derrière la nuit reprend ses droits, ne donnant rien et jamais ne pardonnant.

130

Délivrez-moi de la nuit la plus longue!

Quelques fragments sont parus dans *Phi Zéro*, vol. 11, no 1, été 1983.

---

1. C'est contagieux, ça se contracte en plus d'une langue dans le tracé littoral d'une plage (*plaga*: piège ou bande de terre; plaie ou choc) où le détournement qu'est le plagiat (*plagios*: transversalité) rencontre le fléau de la peste (*plague*: donner la peste, c'est aussi assommer quelqu'un de questions).

2. Ce qui n'enlève rien au «Socrate mourant» de Nietzsche (*le Gai savoir*, no 340). L'interprétation de Nietzsche, sous le signe du pessimisme, des dernières paroles de Socrate en train de se détacher de sa coquille qu'il offre à Esculape sous la forme d'un coq, montre bien qu'il hésitait lui-même entre la maladie et l'amour: avoir ou être la coqueluche, que Socrate tenait au contraire à bonne distance. Au lieu du *Phédon*, Nietzsche aurait eu tout intérêt à méditer *la Vérité sur le cas de M. Valdemar* de Poe afin de mieux saisir ce qu'il en est de la vie comme maladie.

3. Rappel de Barthes: «L'opposition (...) est *toujours* et *partout* entre *l'exception et la règle*. La règle, c'est l'abus, l'exception, c'est la jouissance. (...) Tout, plutôt que la règle (la généralité, le stéréotype, l'idiolecte: le langage consistant).»

4. Au sens que donne Benveniste de *religere*: recollecter, reprendre pour un nouveau choix, revenir sur une démarche antérieure.

5. «Pourquoi Shadaï n'a-t-il pas des temps en réserve, et ses fidèles ne voient-ils pas ses jours?» (*Job, 24, 1*).

6. «Le signifiant se produisant au lieu de l'Autre non encore repéré, y fait surgir le sujet de l'être qui n'a pas encore la parole, mais c'est au prix de le figer. Ce qu'il *y avait* là de prêt à parler, — ceci aux deux sens que l'imparfait du français donne à l'*il y avait*, de le mettre dans l'instant d'avant: il était là et n'y est plus, mais aussi dans l'instant d'après: un peu plus il y était d'avoir pu y être, — ce qu'*il y avait* là, disparaît de n'être plus qu'un signifiant» (Lacan).

7. Qui traverse les sphères en vue d'une «exploration dans la carcasse des mondes défunts» et qui, suite à la *crucifiction* de son double, ascensionne et, illuminé et suspendu, laisse entendre un chant en langues, celui de «la trisse vérihité».

8. «L'odeur des cadavres de la ville chinoise passa, avec le vent qui se levait à nouveau. Clappique dut faire un effort pour respirer: l'angoisse revenait. Il supportait plus facilement l'idée de la mort que son odeur.»

9. Cervantès ajoutait: «Il sut agir, moi écrire.»

10. Qui mieux que Aquin a saisi, parmi nous, cette torsion du baroque en chute libre et qui remonte. «En fin de compte et somme toute, c'est le néant que différencie l'être et non pas l'être le néant. La vie n'émerge vraiment que de son contraire absolu. (...) L'existence est une interpolation.»

11. «L'itinéraire de la philosophie reste celui d'Ulysse dont l'aventure dans le monde n'a été qu'un retour à son île natale — une complaisance dans le Même, une méconnaissance de l'Autre» (Emmanuel Levinas). Coup de force de Joyce: le *oui* de Pénélope «est l'indispensable passeport de Bloom pour l'éternité». Bloom — (Abraham) — HCE — Jacob — Shem.

Coïtération

Mettre la singularité en évidence — désespoir.

Des écrivains parlent pestilence.

Kafka

Mettons, pour me donner un titre, ce mot: *coïtération*, que je pose aussitôt comme ce à quoi s'oppose la littérature, en l'affrontant, pour tirer de ce combat dont elle fait la description une éthique toute entière vouée au célibat. Par quoi baiser et écrire ne se confondent pas à venir se briser sur cette pointe de l'épée qu'est leur impossible d'où l'écriture — s'il faut en faire l'épreuve — se met en travers du rapport sexuel.

Cependant à ce titre, ce mot je le dépose aussitôt, arme brisée qui vous pend sous le nez, afin de lui laisser le temps d'être médité et entendu selon toute sa batterie où la *ratio* glisse, à se mettre ainsi de la partie, dans le coït qu'elle orchestre: butée de l'espèce qui tourne en rond de ne pas y trouver son compte, raison à l'horizon bouché de la race, impasse des comédies humaines. Comme quoi, à co-itérer, il faut être au moins deux — chacun à sa kermesse — pour se rater: malentendu de la jouissance à faire les frais du naufrage sexuel que *parle* le littératage du sujet en littérature.

Rien à voir, là non plus, avec ce semblant de la niaiserie poétique et du pathétique[1] qui fait de l'écrit son coït.

La littérature parle de ça dont elle est avertie, démographie en langues dans le coup d'une démonographie qui traite du mal radical — quand elle s'envoie en l'air, par écrit — de main à main, de seuil en seuil ou de frontières en frontières — comme une lettre qu'elle n'adresse à personne pour mettre quiconque en garde contre la corruption de ce monde, *mais selon sa loi* qui n'en est une que d'effraction et sans espoir de guérison. Métamorphose de l'illisible dans le retournement de la lettre où un nom vient à la signer, de plus en plus métamorphisé par les ratés et la surprise de la langue qui l'articule.

Il m'est permis de supposer que c'est à partir de ma pratique d'écriture que je suis invité, pour cette fois, à prendre la parole, certes sur le dos d'un autre — du reste excellent nageur, même à contre-courant — de peur de la noyade. Sur le dos, cela veut dire non seulement qu'il me porte, mais qu'écrire il ne m'est possible que sur une autre écriture — dans son *sillage*.

Parler de Kafka, est-il annoncé, il sera question — pour autant que je sois censé m'entretenir de lui avec lui, mais entre nous. Pour l'heure, il est encore trop tôt — «la nuit est encore trop peu la nuit», disait-il — pour le faire revenir comme ça hors de l'ennui du jour dont il était le fonctionnaire dévoué à lui payer, toute sa vie d'écrivain, une prime d'assurance qu'il transformait, la nuit venue, en point de fuite — malade d'écrire et d'échouer à écrire ce *monde prodigieux* qu'il avait dans la tête et qui, à le rehausser d'une parole, le déchirait. Du fait d'être jeté dans ce monde à seule fin de le combattre, c'est-à-dire le *délivrer*, détermine pour Kafka la nécessité de son passage par l'écrit. Du monde, il fait le seul partenaire digne d'un quelconque rapport, fut-il d'affrontement. «Disposer librement d'un monde tout en ayant le mépris de ses lois. L'acte qui impose la loi. Bonheur d'y obéir.» La littérature est cet *acte* qui consiste à dépouiller les anciennes lois de l'arbitraire de leurs formes. Par cette loi qui prend acte de ce monde dont elle dispose, la littérature en impose à toute autre loi qui n'a d'autre fin que l'asservissement à la règle, à la commune mesure, à la reproduction de l'instinct grégaire. En cela réside l'*im*posture de la littérature — *de détromper*.

À l'intimidation arbitraire des lois de ce monde, à l'intimité supposée de l'amour qui ne tient aucun compte de l'inégalité sexuelle, répond l'*intimation*[2] de la littérature comme expérience la plus intérieure bordée par la haine, non pas tant de tout ce qui n'est pas elle, mais de ce qui ne fait pas expérience (comme on dirait: pénitence). Seule la formule de Kafka, extirpée au plus creux de sa nuit, peut témoigner pour elle: «Je hais tout ce qui ne concerne pas la littérature...» Et la littérature pour Kafka ne bavarde ni ne converse. Elle est cette fonction d'appel le plus intime, ce *point* de conversion et d'interpellation qui exige une certaine disposition à l'obéissance de la part de celui qui fait irruption en lui — tout le reste n'étant qu'ennui, n'appartient pas à la fulguration de la nuit.

Deux questions me viennent, que je laisse en suspens comme si je les adressais en votre direction, pour mettre en relief cette déchirure qu'est le sujet autobiographique *en passe* dans les débris d'histoire qui sommeillent en vous:

Qu'avons-nous à faire des dits et écrits de Kafka qui nous restent comme les déchets de sa vie qu'il a mis à la poubelle et à laquelle il demandait qu'on y mette le feu — du moins le même feu (et la folie) qu'il avait lui-même mis à brûler sa vie pour les jeter là en passant[3].

En quoi, dans ce temps que nous prenons pour nôtre, survivons-nous à Kafka?

De la vision que j'ai de Kafka, je ne peux que la laisser parler — en transit dans la vision que j'ai de moi-même et avec laquelle elle entre en contact — *contagieuse*.

Je ne parlerai donc pas *au nom de* Kafka ni en mon nom propre, seulement de cela qui, dans la concrétion des temps, est en voie d'être nommé: expérience intérieure de la littérature dans laquelle tous les noms sont chaque fois convoqués et conviés d'y prendre effet de leur disparition. Ce qui n'est pas sans conséquence: d'être sans nom, la littérature échappe à cette affaire de famille — pas d'héritage ni de legs — où un nom à se verrouiller fait fortune de mythe. Gageure de la littérature de n'être jamais à sa place, innommable parce que toujours en cours de nomination. D'où l'intérêt que lui porte tous les prétendants au nom qu'elle dérange de ne pas se laisser assigner à une place dont elle sait la vacuité.

Donc je dis, j'écris, je vis, certes, mais pour disparaître dans ce qui s'écrit avec moi, toujours *en retrait* de ce que je peux en dire et en vivre. Il n'y a pas à dire, la littérature *s'écrit* — comme ça se fait dans le temps de le dire: de là sa familiarité qui inquiète — d'être toujours performante.

Ainsi donc, en exergue à ce mot dont j'ai volontairement déposé le titre de ce que la littérature en médit et sous le double signe de Kafka — la singularité, la pestilence, — commençons par un aphorisme de Blanchot, lequel, de manière abrupte et lapidaire, résume ce qu'il en est du dit et de l'écrit quand il est question de la vie qu'a et n'a pas l'écrivain, pour autant qu'il s'en trouve un que la renommée consacre, c'est-à-dire maudit. En voici la teneur: «*L'écrivain, sa biographie: il mourut, vécut et mourut.*» Entre deux morts qui se touchent d'être séparés à l'extrême, la vie d'un écrivain occupe une place bien inconfortable: celle, n'est-ce pas, de l'*arrêt de mort* dont elle reçoit verdict de le suspendre[4]. D'une mort à l'autre qui n'est pas la même mais la prise en compte de son décalage, vit l'écrivain, précisément de se mettre hors-du-monde (comme hors-la-loi) dont il n'est que l'hôte toujours mal venu, l'étranger de passage — *heimatlos* sans frontières. Et si la formule de Blanchot se donne à lire au passé simple, c'est pour marquer que le porteur d'écrit, en deçà d'une mort et au-delà d'une autre, ne fait que passer par ce temps qui lui est déjà compté et définitivement acquis — passeur en train de se dire en passant. Vivre, *par la faute du père* dont l'arbitraire de la loi qu'il représente l'instruit de sa culpabilité, voilà ce qui est refusé à Kafka et l'oblige du coup à renoncer au monde extérieur et à sa culture, c'est-à-dire à vivre en exclu et en minorité, mais dont le *Journal* lui sert de tenant-lieu: «je n'avais pas le droit de laisser quelqu'un renaître au-delà de moi tandis que je m'efforçais de l'enterrer en deçà (...); je suis d'ores et déjà citoyen de cet autre monde qui est, avec le monde ordinaire, dans le même rapport que le désert avec une contrée agricole.»

L'écrivain, en cet unique point où il peut se tenir dans la doublure de la mort qui détermine sa biographie, fait le mort, est mourant, ne cesse de ressortir du cadavre qu'il est de ne rien savoir de la mort que le tremblement qu'il en reçoit, — cadavre qu'il quitte chaque fois pour un autre, c'est-à-dire sans jamais s'en écarter tout à fait pour vivre, où l'écrit (son déchet) le déporte selon sa respiration retrouvée. Entre deux morts, se joue une résurrection que l'écrit, sous pli enseveli, rend manifeste, mais pour laquelle il ne saurait y avoir de témoin, car l'écrivain, sans support pour écrire, se coupe aussi

— et là est l'exigence de sa vie qui le rend insupportable — de tout rapport (et il faudrait dire *commerce*) avec les autres hommes. Cette résurrection, ce jeu de la résurrection — si exceptionnel fût-il — ne le sauve en rien ni ne le rachète de la faute qu'il commet d'écrire au détriment des autres et cette décision le rend coupable d'être ainsi coupé des autres même s'il leur fait don d'un bout d'écriture qu'il leur abandonne comme une part de lui-même déchiée et déjetée, ou, dans l'impossibilité de la vie qui lui est refusée, comme le faire-part de son décès par lequel il décède de sa propre main en le signant.

Écrire tient toujours à la traversée de cette même *chose* dans le décollement de laquelle — l'écrit qui le coupe de n'en faire qu'à sa tête — un écrivain s'avoue coupable de ne s'accorder dans cette aventure aucun autre droit.

Ainsi vissé à sa table de travail, mieux: enterré, assigné à demeure, c'est un mort qui écrit sous les espèces de Franz Kafka pour retrouver le fond d'une mémoire vivante. «J'ai besoin pour écrire d'isolement, pas comme un 'ermite', mais comme un mort. Écrire en ce sens est un plus profond sommeil, donc une mort, et de même qu'on ne tirera pas un mort de sa tombe, on ne pourra la nuit me retirer de ma table. Cela n'a rien immédiatement à voir avec les rapports que j'entretiens avec les hommes, mais ce n'est que de cette manière rigoureuse, continue et systématique que je puis écrire et donc aussi vivre.» Insomnie coupable de Kafka dans le sommeil innocent de l'espèce.

Le droit de vivre de Kafka, son destin, se résume à l'obscurité du combat par lequel il affirme ce droit d'écrire comme *droit à la mort* qui, irrémédiablement (et par cette non-rémission définitive, il faut entendre la part du diable à qui s'en remettre pour cette tentation *du* désert), le met à l'écart et le retranche de toute *autre* vie dont il s'abreuve cependant — opération dont l'espace

144

ne fait pas communauté et qu'elle parasite.

L'humanité d'un écrivain — de Kafka, en particulier — pour s'arracher au monde, n'est que la forme du souci et de la compassion qu'il a de l'humanité. De la même manière, sa culpabilité, comme Kafka en fait la remarque à son ami Weltsch, n'est rien d'autre que «la forme la plus belle du remords». Mais plus encore, cette forme de remords qui fonde le sentiment de culpabilité porte en elle, pour autant qu'on l'éclaire en son point d'obscurité qui la rende manifeste, «l'exigence de revenir en arrière». *Récursion* est le nom que je donne à cette exigence du revenir qui fait du porteur d'écrit une mémoire *vivante* (des revenants) pour autant que l'écrit n'est pas seulement occupé des petits pas de sa destination qu'il anticipe, mais ne cesse pas de revenir sur les faux pas par où il est déjà passé afin de retrouver le *passage* d'où il vient. Passage retrouvé vers le *Paradis* et qui ne peut se produire qu'à un train d'*enfer*: Kafka approche là le *sens* du péché (la peste) et de l'imposture originelle (le malaise) qui nous rend tous égaux dans la connaissance du Bien et du Mal, faute d'avoir mangé du fruit de l'Arbre de la Vie (l'immortalité) au lieu de l'Arbre de la Science. L'écriture de Kafka suspend, en le détournant, le décret d'expulsion du Paradis qui fait de la vie une fatalité, c'est-à-dire quelque chose d'inéluctable qui oblige à sur-vivre, afin de montrer que «l'éternité de l'événement» ou plutôt «la répétition éternelle de l'événement» «rend malgré tout possible que non seulement nous puissions continuellement rester au Paradis, mais que nous y soyons continuellement en fait, peu importe que nous le sachions ou non ici».

Si tout ceci ne devient visible pour Kafka qu'en 1917-1918 autour de la centaine d'aphorismes qui constitue, au détour de sa lecture de Kierkegaard, ses *Méditations sur le péché, la souffrance, l'espoir et le vrai chemin*, il est évident que le *but* qu'il assigne à l'écriture éclaire en retour et de manière percutante son premier début, celui de 1912, année du *Verdict* et de la rencontre de Felice, où sa décision d'écrire devient irrévocable, quittant pour toujours «le bain tiède» et confortable de la littérature (disons le purgatoire) afin d'entrer de plain-pied dans «l'éternel enfer des vrais écrivains» — formule par laquelle Kafka retrouve celle de Sade qui écrit: «tout est paradis dans cet enfer.»

Mais ce sentiment de culpabilité que déterminent la forme du remords et l'exigence du revenir — paradis dans l'enfer de l'écriture — le cède à son tour devant un sentiment plus redoutable qui le dépasse: «le sentiment de la liberté, de la délivrance, du contentement mesuré» où le jeu de l'écriture (comme résurrection), s'il se donne toutes les apparences d'une sotériologie, ne sauve en rien celui qui en fait l'exercice — victime émissaire de l'acte qu'il pose hors des limites et des mesures de la faiblesse humaine dont il prend acte dans l'observation. Là se fonde l'attitude de Kafka devant l'angoisse de la mort où, occupant la place du mort, il demande son dû à la mort, à exiger d'elle, par ce jeu où il l'approche sous le couvert de l'écriture et sous les traits du mourant, de pouvoir «*mourir content*». Acheminement vers la mort, *agonie* plutôt, où l'*agônia* n'est pas qu'angoisse mais exercice et lutte à mort. Dans cette rivalité entre la mort et l'écriture, le triomphe de la mort sera terrible pour le porteur d'écrit[5] dont l'insulte à son endroit et à l'endroit de ceux qui se croient vivants, le fait *agonir* sans fin. «Ce que j'ai joué va arriver réellement. Je ne me suis pas racheté par l'écriture. J'ai passé ma vie à mourir, et en plus je mourrai réellement. Ma vie fut plus douce que celle des autres, ma mort n'en sera que plus terrible. Naturellement, l'écrivain qui est en moi mourra aussitôt, car une telle figure n'a pas de sol, nulle réalité, elle n'est même pas faite de poussière; elle n'est possible, un peu possible que dans la vie terrestre en ce qu'elle a de plus insensée, et n'est qu'une construction de la concupiscence. Tel est l'écrivain. Mais moi-même je ne puis continuer de vivre, puisque je n'ai pas vécu, je suis resté argile, et l'étincelle que je n'ai pas su transformer en feu, je ne l'ai fait servir qu'à illuminer mon cadavre.» Sur cette scène du réel de la fiction et devant la circulation de cette mort dans la mort où j'appelle *im*posture ce qui ne remet pas la mort à sa place mais entraîne la mort dans l'imposture de cette doublure, s'avance cette triste figure sans sol ni réalité, de plus en plus grotesque et grimaçante, prématurément vieillie: l'incurable Don Quichotte — nom propre de *Lazarillo* — qui, dans sa folle équipée, ne cesse de réclamer le dernier souffle en se frayant un chemin à travers la vérité du langage qui ne se referme pas, toujours en quête d'un *autre monde* parce qu'il sait, lui l'impermanent, qu'il n'a plus rien à faire en ce monde. De Don Quichotte dont Sancho Pança fait le malheur, Kafka attrape au passage tous les gestes: «L'un des actes don quichottesques les plus importants, plus fâcheux que le combat avec les moulins à vent, est: le suicide. Don Quichotte mort veut tuer Don Quichotte mort; mais pour tuer il faut une place vivante, c'est elle qu'il cherche avec son épée, aussi inlassablement qu'en vain. Pris par cette occupation, les deux morts inextricablement enlacés et positivement bondissants de vie culbutent à travers les âges.»

Écrire tient donc du suicide, mais d'un suicide particulier en ceci qu'il n'est jamais hors-écriture, bien au contraire, mais fait trou en elle, chaque fois repris, de la pousser à bout, aux dépens et dans la dépense verbale qui lui tient la main. Le suicide, pour Kafka, ne consiste pas à s'enlever la vie puisqu'il est déjà mort, mais détermine le combat d'un mort avec un autre mort — tous deux portant le même nom — en vue de cette place vivante, provisoire parce que transitoire, où ils sont reconduits à travers les âges. Il n'y a pas d'autre horizon à la littérature que de parler sans cesse de la mort pour lui survivre. Et Kafka de citer à son appui cette phrase d'un poète chinois: «J'ai passé ma vie à me défendre de l'envie d'y mettre fin.»

Écrire: une véritable discipline de la mort, un exercice de mort au-delà de l'impasse qu'il montre, — *mélétè thanatou*, disaient les Grecs.

Kafka, d'être ce lieu à partir duquel se dit le drame qui l'occupe et dont il fait l'épreuve en se donnant comme la preuve vivante — «écrire, c'est moi-même», — fournit à l'écrivain les deux figures essentielles d'une éthique selon la nécessité où il se trouve d'écrire et en fonction desquelles tout ce qui n'est pas littérature est accessoire et superflu. Don Quichotte: le suicidé. Sisyphe: le célibataire. «Le célibat et le suicide se situent à un niveau de connaissance analogue, le suicide et le martyr, nullement, le mariage et le martyr peut-être.» Ce en quoi Kafka est plus que juif de s'exclure ainsi des conditions de la Loi qui, pour les autres de son peuple, donne sens à leur dispersion[6].

Kafka n'écrit pas contre la Loi, mais dans la béance de la Loi, ni contre le père, mais à partir de la défaillance du père. Il les relève, non pour les surmonter, mais comme un défi à relever qu'il leur adresse. Par là il touche leur secret de ne pas dire — à interdire — la jouissance dont la Loi par la bouche du père se soutient: à savoir l'échange en vue de la possession des femmes.

En cela la littérature se rend intolérable d'être *incurable*. Parce que chaque fois il lui faut rejouer (de) l'interdit — et elle ne cesse de le jouer comme la nécessité de sa propre condamnation — pour s'immiscer ainsi dans l'entre-dit. De la Loi supposée écrite, répétée selon les effets de formes de sa transmission et prononcée sous forme de sentence (orale, performative) par le père, la littérature la troue de faire parler ce non-dit de la jouissance qui, parce que tue, est retournée comme manque-à-jouir. De se mesurer à la Loi (du père) — procès du procès, performation générale du performatif — la littérature y reçoit son arrêt de mort qu'elle suspend pour loger son protêt — protestation *affirmée* de l'*im*-pouvoir. C'est là la chance qu'elle prend: une *autre* écriture, un écrit *en plus* par lesquels un écrivain est toujours *moindre* que ce qu'il dit.

Dans *le Verdict*, un fils porte son père, tombé en enfance, comme s'il était son infirmier. Entre le père et le fils va se jouer une partie serrée[7], de corps à corps puis de lettre à lettre, cependant sans jamais correspondre, de sorte que leur alliance supposée se dénoue au fur et à mesure de leur entretien orageux. Le père, à l'insu du fils qui ne connaît que lui-même, *sait tout* de ses projets de fiançailles pour ainsi dire tramés dans son dos. La menace brandie par le père d'exhiber de sa poche une lettre à son adresse en provenance de l'ami de son fils *efface* la lettre que ce dernier venait d'écrire et destinait à ce même ami, ou, si vous préférez, la lettre *cachée* du père rend l'autre *fictive*. Le père — dans le rappel qu'il fait de la mère morte interdite au fils — renvoie celui-ci comme un déchet de lui-même qu'il ne reconnaît plus pour le sien. Il le dégueule: littéralement, il lui coupe les ponts — comme Thésée pour Hippolyte — en le condamnant à la noyade. Le fils nié, support de la sentence du père, se précipite au dehors et du pont se jette dans les eaux (de la mère morte)[8].

Cependant Kafka écrivain n'est pas ce fils qui expie au nom-du père pour s'en faire le support. Déchu de paternité, il ne succombe pas à la béance de la Loi, au contraire il la pousse à l'extrême limite pour en observer la *procédure* d'interdiction, sa marque et son cachet. Il faudrait décrire cela d'un seul mot: procèdordure, «à faire litière de la lettre», comme le suggère Lacan de Joyce.

Si Kafka préfère pour lui-même la salle de bains (narcissisme), il place le père *aux chiottes*[9], lieux d'aisances (analité) et de jouissance (oralité) d'où le père, à l'endroit du fils, orchestre sa malédiction performative. Kafka, de sa main, fait rendre au père fantoche son dernier *non*[10], c'est-à-dire que, remettant le père à sa place, il élabore cette négation pour la dépasser: tout «oui» (et pour l'entendre vous pouvez mettre le tréma qu'il faut) dans le «non» *frontalement* affirmé.

Avec *le Verdict*, à force de fouiller ainsi «dans les bas-fonds de la littérature», Kafka trouve sa raison d'*être* en se faisant la main par l'être interposé qu'il prend dans les rets de la correspondance, les liens qu'il tisse de lettre à lettre selon la promesse toujours réitérée de *correspondre* en tant qu'acte d'un corps répondant des effets de son dire qu'il provoque dans un autre corps. Il le confirme pour lui-même dans son *Journal* en date du 11 février 1913, au moment d'aborder par associations le *sens* en acte dans l'interprétation de sa nouvelle: «car ce récit est sorti de moi comme une véritable délivrance couverte de saletés et de mucus et *ma main* (je souligne) est la seule qui puisse parvenir jusqu'au corps, la seule aussi qui en ait envie.» Singulière naissance de Kafka à l'écriture: à prendre le père au piège (au pied) de la lettre qui, menaçante parce que tenue cachée, reste *lettre morte* (lettre de mort), il la lui retourne sous forme d'écrit dont la protestation le délivre du remords (d'être fils à la merci du père) et des revenants (de la mère). De la lettre *du* père retournée en lettre *au* père et sur le cadavre fouillé du fils qu'il ressuscite, Kafka se dresse devant la Loi pour lui faire dire ce qu'elle retient de jouissance en sa croyance (et sa créance) et dont le verdict qu'elle rend ne dit — *à vrai dire* — rien. De sa propre main

Kafka se met dehors, affirme l'extériorité de ce monde dont il s'expulse, alors que de l'autre et dans le même temps, il la tend à Felice en vue d'une étrange alliance qui ne tient le coup qu'à se rompre, menée par lui au dénouement et de ce fait à la catastrophe. Là commence la grande tourmente des lettres à Felice, cette dernière n'ayant d'autre existence avouée que celle que lui prêtent les mots de Kafka. Être de papier qu'il nomme, elle doit assurer la liaison par lettres à condition que jamais elle ne paraisse (ni ne paresse). De n'être accessible que par la voie de la poste, Kafka en fait la seule raison d'être de son *affranchissement* et cette exigence il ne cesse pas de la communiquer *en toute franchise* à Felice comme «sens» de leur impossible liance: «C'est, pour être tout à fait franc et pour que tu reconnaisses mon degré de déraison, *la peur d'être lié à l'être* que j'aime le plus et précisément avec lui... J'ai le sentiment sûr d'être exposé à sombrer par le mariage, par cette *liaison* par la dissolution de ce néant que je suis, et non pas moi seul, mais avec ma femme, et plus je l'aime, plus ce sera rapide et plus effroyable.»

Reprenons la donne, distribuons à nouveau les données concernant cette logique d'écriture dont Kafka assure jusqu'au bout les conséquences:

Entre la correspondance et la nouvelle (dont les romans procéderont par amplification du procès), Kafka reprend les thèmes de la «tourmente» et de l'«assaut» (*Sturm and Drang*) qu'il conjugue cependant, de dénouement en dénouement, en les croisant par un mouvement de *double main* — dénouement de la lettre dans le récit en dénouement ou récit du dénouement en dénouement dans la lettre.

Tourmente. — D'une main, il se tend vers Felice[11] pour lui demander d'*avoir* à son tour *de la main* (en termes d'imprimerie: du corps et de la tenue) pour deux afin d'écarter un peu de son propre désespoir: *ce qui produit l'événement est aussitôt interdit.*

Assaut. — De l'autre main, il écrit pour désenfouir la lettre de la Loi qui se tient *en sous-main*, mettre en lumière le «verdict» duquel il reçoit sa «conviction» d'écrire: *ce qui est interdit produit aussitôt l'événement.*

Double mouvement de la main qui tourmente ou prend d'assaut et par lequel s'annonce l'arrêt de mort comme interdit et production. «Celui qui, vivant, ne vient pas à bout de la vie, a besoin d'une main pour écarter un peu le désespoir que lui cause son destin — il n'y arrive que très imparfaitement, — mais de l'autre main, il peut écrire ce qu'il voit sous les décombres, car il voit autrement et plus de choses que les autres, n'est-il pas mort de son vivant, n'est-il pas l'authentique survivant? Ce qui suppose toutefois qu'il n'ait pas besoin de ses deux mains et plus de choses qu'il n'en possède pour lutter contre le désespoir.»

Dans la doublure de la mort où une main vient en aide à l'autre pour l'armer, l'exigence du revenir fait place à l'exigence de survivre.

Pour Kafka dont la correspondance n'assure pas la liaison entre deux personnes réelles mais deux fantômes, écrire à Felice c'est l'éloigner de telle sorte qu'elle porte et partage une partie du remords et du sentiment de culpabilité. Felice fait revenir le spectre des noms dont a besoin Kafka pour déployer les récits et les romans qui assurent sa survie au point où leur caractère posthume est attesté et authentifié du vivant même de Kafka. Déjà le 15 décembre 1910, il note dans son *Journal*: «Car je suis de pierre, je suis comme ma propre pierre tombale, il n'y a là aucune faille possible pour le doute ou la foi, pour l'amour ou la répulsion, pour le courage ou pour l'angoisse en particulier ou en général, seul vit un vague espoir, mais pas mieux que ne vivent les inscriptions sur les tombes.» Notation qu'il faut rapprocher par exemple d'un fragment expurgé du *Procès*, repris sous le titre «Un rêve» dans *la Métamorphose*, dont voici le final:

«Or, tandis qu'il plongeait au cœur de cet abîme impénétrable, la nuque encore redressée, son nom se dessina là-haut comme un éclair avec d'immenses arabesques sur la pierre. Ravi de ce spectacle il se réveilla.»

Ci-gît un nom, du moins la violence du premier trait (*khav*) d'un nom dont Felice accompagne de son prénom la naissance en lui accordant la *félicité* et le *bonheur* dont il a besoin pour se décharger un peu du désespoir de sa vie.

Mais il y a plus.

La question du père pour Kafka, à l'horizon bouché de sa visibilité où justement rien ne se donne à voir, je la mets en veilleuse afin d'en montrer l'envers (l'enfer) qui constitue son véritable endroit (le lieu exact) d'où elle se pose, du moins l'*autre face* qui, mine de rien, l'anime sous le couvert de son apparente insignifiance — celle de la femme. Cela s'explique seulement si l'on prend en compte la stratégie qu'élabore Kafka quant aux textes, très rares, qu'il a publiés de son vivant. C'est au lendemain de sa première rencontre avec Felice que Kafka n'a plus aucune hésitation devant la publication de son premier livre, *Contemplations* (*Betrachtung*: plutôt méditation que contemplation), dont il décide ce jour-là l'ordre des fragments en compagnie de Max Brod qui en est le dédicataire. Écrit en une nuit, *le Verdict*, par lequel le fils prend acte de la malédiction du père qui le condamne à la noyade, est dédié à Felice avec qui, deux jours auparavant, il entame sa correspondance. Inversement, *Un médecin de campagne* dont Kafka tisse le fond de son plaidoyer contre le mariage, trouve sa dédicace à l'adresse du père. Quant à la fameuse *Lettre au père*, non publiée, elle n'est jamais parvenue à destination, Kafka l'ayant remise entre les mains de sa mère qui l'a retenue en sa possession comme si son contenu lui était destiné, comme si elle était le dépositaire et le détenteur de l'énigme du fils à l'endroit de son père.

Donc, l'ami, la fiancée, le père, la mère, encore une fois la partie s'engage, à cette différence près cette fois que le fils, bien revenu du remords où on le tenait pour mort, est devenu ce porteur d'écrit qu'il dépose entre les mains de la mère pour lui signifier que désormais il y a un trou dans la lettre, un trou de néant dans lequel quelque chose s'agite et se fait vivant, quelque chose qui ouvre, dans le silence où la lettre tombe, *au passage du nom* entre le fils et père qui ne tient plus qu'au fil de son *non*. Étrange dialogue entre l'écriture et le nom, dont l'une fait éclater la raison de ce que l'autre programme, où l'écriture vient tenter du nom à la limite de ce qui dans le nom en répond.

De son père, Kafka dira qu'il n'a hérité que d'une «petite *boîte à épices* en argent». Un brin d'assaisonnement dans le négoce de l'espèce[12].

De sa mère, en plus de son prénom juif, il reçoit toute l'ascendance dont il remonte le cours du temps à travers la mer agitée des noms dont il extrait quelques constellations: «un livre doit être la hache qui brise la mer gelée en nous».

Il y a un certain pliage de l'écriture de Kafka devant la mère qu'il ne peut correctement nommer entre l'allemand, le tchèque et l'hébreu, elle qui représente la survie du judaïsme défaillant des pères. Si Kafka pose les conditions d'une littérature mineure, il ne la pratique pas. Il talmudise la langue allemande, il la dévoie dans un *procès* en langue qui, au terme de ce *processus morbide*, la rend malade de l'autre (l'hébreu). En somme un écrivain — et Kafka moins qu'aucun autre — n'est pas pris dans une langue, il ne reste pas dans la langue pas plus qu'il ne l'habite, au contraire il la triche d'un écrit à ce point précipité qu'elle est surprise et lui-même étonné de la limite qui a été forcée et de l'auto-destruction qui s'ensuit: «Rien, rien, rien. Faiblesse, anéantissement de soi-même, langue d'une flamme infernale qui se fait jour à travers le sol.» Et le sol pour Kafka est le sol maternel d'où il tente de s'extirper.

Dans ses assauts contre les frontières, Kafka est *arrêté*, toujours en arrêt, non pas tellement devant la Loi, mais devant la femme qui la soutient — pornographiquement faudrait-il dire, la femme qui fait *corps* avec la Loi[13], la femme de loi, cette «petite femme» corsetée que Kafka met en scène dans une nouvelle du même nom (*Die kline Frau:* la logeuse-concierge). Fantasme d'arrestation qui est un fantasme de mariage, comme le note Freud[14]: prendre femme devant la Loi et qui, à son tour, deviendra l'image de la mère (à l'enfant) revenant voiler la défaillance du père.

S'il plie d'une certaine façon devant la mère, Kafka est frappé d'interdiction devant la question de la femme, pour autant qu'elle représente la possibilité et l'appel de la vie, qu'elle est le représentant du monde, qui — si elle le séduit — lui enlève toute chance de poursuivre le combat d'un mort avec un autre mort et de toucher ce fond d'obscurité d'où l'écrit fait surface. «La femme, ou pour parler avec plus de rigueur peut-être, le mariage, est le représentant de la vie avec lequel tu dois t'expliquer.» Ce n'est donc pas avec le père qu'il faut s'expliquer, mais avec la femme pour autant qu'elle touche, à travers la Loi supposée écrite, à la reproduction et à la mise en corps de l'espèce. La culpabilité pour Kafka ne vient pas du Mal, mais du malheur où il se place d'être une première fois séduit par la vie, le Bien dans lequel l'homme se fourvoie: «Le Bien nous a jetés dans le Mal, le regard de la femme, dans son lit.» Et, une fois jetés dans la carrière du Mal, le combat s'aggrave: «Il est le combat avec les femmes, qui finit au lit.» Par quoi la fonction du *coitus*, dont l'alliance se définit *per itus et reditus*, se traduit par un *perditus* sous la forme répétitive d'une inhibition au langage.

Faisant l'expérience qu'il n'y a pas de rapport sexuel — selon la formule de Lacan qui fait du réel l'impossible de ne se soutenir à la limite que de l'énoncé qui le confirme en tant qu'interdit — Kafka est amené, du fait de cette absence de rapport sexuellement marqué, à choisir le seul terrain qu'est la littérature de ne pas cesser d'écrire à la place de ce rapport, de lettre à lettre dont chaque réponse réitère — en la reconduisant — la promesse d'amour qu'il dénoue de ne pas tenir sa parole, c'est-à-dire *de ne pas tenir sa langue* en tant qu'engagée — comme acte de parole — par la promesse de «dire oui» qui n'est que le «ouï-dire» de ce qui ne se dit pas dans la chose promise. Par cet «atermoiement illimité» qu'est la correspondance, Kafka *ajourne* le don du sexe dans le don des langues qui laisse tomber ce sexe et par cet effet de *falsus* (encore Lacan), il s'engage dans une solitude de langage qui, si elle est aussi sexuelle, ne s'y réduit pas, effectuant du langage dans cette altérité et de l'humour dans ce langage, mais évitant à tout prix l'effectuation sexuelle comme étant non engagée par la promesse de (tout) dire d'un corps parlant sexué en direction d'un autre. Question de la séduction qui ne se pose jusqu'au bout qu'à *s*'exposer à cette autre qu'est la sublimation.

Cette décision d'écrire, Kafka la prend à la suite d'un incident malheureux (une scène de grand guignol) qui le met aux prises avec Mme Tschissik, actrice de la troupe yiddish de son ami Löwy, à qui il veut déclarer son amour aux yeux de tous par l'artifice d'un bouquet de fleurs (le langage des fleurs), bouquet qui suppléerait au dire de l'écrit qu'il lui destinait («Amour pour une actrice») mais qu'il était incapable d'écrire. Cette scène, Kafka la reproduit dans son *Journal* (5 novembre 1911) en guise d'avertissement qui l'engage au seul combat qu'est la littérature:

«J'avais espéré satisfaire un peu mon amour pour elle en lui donnant le bouquet, c'était complètement inutile. Cela n'est possible que par la littérature ou par le coït (*Literatur oder Beischlaf*). Je n'écris pas cela parce que je l'ignorais, mais parce qu'il est peut-être bon de mettre souvent les avertissements par écrit.»

Literatur oder Beischlaf: étrange alternative qui se pose à un sujet sommé de choisir entre dire ce qu'il fait (la littérature) ou faire ce qui ne se dit pas (le coït). Choisir la littérature, c'est accepter de dire l'*en-faire*[15] de ce qui n'a pas d'autre dire que déposé sous rature dans le lit de l'être. D'où la nécessité d'une éthique du suicide (au sens de Don Quichotte revenu de cette affaire de la «dulcinée») et du célibat comme ascèse au mariage. Ce que note Kafka, cette fois à l'adresse de Felice, cinq ans presque jour pour jour après sa première déconvenue:

«Le coït considéré comme châtiment du bonheur de vivre ensemble. Vivre dans le plus grand ascétisme possible, plus ascétiquement qu'un célibataire, c'est pour moi l'unique possibilité de supporter le mariage. Mais elle?»

Mais elle, évidemment, ne comprend pas, ne peut pas comprendre les atermoiements de cet «habitant des caves»[16], ainsi qu'il se nomme à Felice.

La littérature comme ascèse, comme forme de sotériologie dont elle sait cependant le salut impossible, est l'unique possibilité d'assumer «l'imposture originelle» du péché dont le mariage est la conséquence. Le mariage, c'est-à-dire la femme, la croyance en cette affaire de *la* femme (la dulcinée) dont Kafka retourne la question sous toutes les coutures, par la poste, en un tas de lettres, d'où va dépendre sa correspondance avec Felice de ne pas la posséder autrement que dans la trame même de la lettre où elle joue le rôle de «l'ab-sens» (Lacan) tenant-lieu du sexe:

«Ma vraie crainte — rien de plus grave ne saurait être dit ni entendu —: jamais je ne pourrai te posséder (...). Bref je resterai à jamais exclu de toi, en viendrais-tu à t'incliner si profondément vers moi que je serais en danger.»

Par cette sublimation de l'écrit dans la lettre, Kafka tient bien en main l'abject du coït comme peur de la femme et l'horreur de la co-habitation comme peur de la reproduction. Au regard de la Loi, Kafka se sait coupable et, de ne pas obtempérer à l'appel chaleureux et meurtrier du coït comme châtiment, il se met hors-ensemble de l'intérieur même de l'ensemble. *Borderline*: «Toujours prêt, sa maison est portable, il vit toujours dans son pays natal.» Sachant qu'il n'y a d'exil que là où il n'est pas, à ne pouvoir s'y rendre, Kafka ne quittera la maison familiale que dans les derniers mois de sa vie, s'en allant mourir comme Don Quichotte.

En attendant, il expie, rivé à sa table de travail, cette *table à écrire* dont il fait son unique Loi et son tombeau.

De philosophie, il n'a été question jusqu'ici — et c'était voulu. Mais je dirai que cette question de la lettre la travaille aussi dès qu'elle s'écrit. (Mais la philosophie s'écrit-elle?) À preuve les «Envois» de Jacques Derrida, en tête de *la Carte postale*, qui se présentent comme l'exact commentaire, joué, fictif mais rigoureux, de la stratégie de la correspondance telle que Kafka l'inaugure avec Felice. Kafka est l'embrayeur du message de Socrate à Freud, en passant par Kierkegaard. Le risque du philosophe, en ses parages, c'est de venir boucher les trous d'où la lettre s'envoie entre littérature et coït.

Correspondance se dit en allemand *Briefwechsel*, mais aussi *Briefverkehr* qui m'importe ici pour autant que Kafka explore toutes les ressources de ce *Verkehr* signifiant tout à la fois le va-et-vient (comme sur le pont du *Verdict*), de l'échange commercial, monétaire et sexuel, c'est-à-dire en dernière instance du «coït» qui ne peut se dire que par lettres. *Verkehr* s'entend aussi au sens freudien de la *Verkehrung (eines Triebes) ins Gegenteil*: renversement d'une pulsion en son contraire qui implique, du même coup, le retournement sur la personne propre.

D'où la stratégie de la correspondance de Kafka: trouver un corps répondant à son corps défendant. Du même coup, dépouiller la Loi de sa lettre pour en démonter le fonctionnement, les paradoxes et les parades, les équivoques. Dans les romans de Kafka, une lettre circule, menaçante, vole, coupe et tranche, empêche chaque fois le récit de se refermer, de se cacheter d'un sceau, et l'ouvre à ce dénouement interminable où le roman n'a pas de fin, reste inachevé parce qu'interminable comme analyse.

À Max Brod, il résume sa première intuition sous la forme d'une question: «Serait-il vrai qu'on peut enchaîner les jeunes filles au moyen de l'écriture?» Enchaîner les jeunes filles par l'écriture, ce n'est pas si bête, puisque c'est prendre la Loi là où elle se soutient de faire tenir ensemble, de faire ensemble, et dont la jeune fille, en tant que mère virtuelle, est la matrice.

Avant Felice, Kafka avait tenté une rencontre épistolaire avec Hedwig W., mais sans succès: «J'ai dit qu'écrire une lettre est comme patauger sur un rivage, je n'ai pas dit qu'on entendait le bruit.» Acte manqué, donc réussi: de ce premier ratage, littératage, il va saisir l'enjeu pour lui de mettre à distance la femme et, à travers elle, la Loi qu'il met en procès: «Imagine que A reçoive de X lettre sur lettre et que, dans chacune, X cherche à réfuter l'existence de A, etc., etc.» Avec Hedwig, la machine épistolaire est prête à fonctionner: il ne lui manque qu'une victime, à moins qu'il ne soit lui-même victime de sa machination comme dans *la Colonie pénitentiaire*.

Felice entre en scène le 13 août 1912 — fantôme rêvé. Dans son *Journal*, il note aussitôt: «Je n'étais d'ailleurs nullement anxieux de savoir qui elle était, je l'ai aussitôt acceptée. Visage osseux et insignifiant, qui portait son insignifiance.» On connaît la suite: deux fiançailles rompues, neuf cents pages de lettres pour affirmer ce qui, dans l'écrit, ne cesse pas de s'interrompre de manière continue, et, encore, sont-elles du *seul* Kafka — les lettres de Felice, fantomatique jusqu'au bout, n'ayant d'autre existence qu'à se deviner *dans* celles de Kafka à qui elles donnent corps comme acte de parole chaque fois reprise.

C'est donc à partir de l'inanité du visage de Felice que Kafka entreprend de correspondre, mais là où il avait imaginé que X réfute l'existence de A (ce qui était déjà fait), il coupe les *ponts* afin que toute réponse de A à la promesse de X reste une lettre en souffrance d'un corps: «ce n'est pas un être humain qui t'écrit, mais je ne sais quel démon perfide (...) Tu ne savais pas à qui tu devais écrire. Je ne suis pas une destination pour tes lettres. Si je paraissais, si je pouvais paraître tranquillement devant toi dans toute l'étendue de mon état misérable, tu reculerais de frayeur.[17]» Felice est foudroyée, ainsi réduite à rien en tant que le *La* barré de la femme, mais qu'elle paraisse devant Kafka et, alors, c'est Kafka qui se défile ou la met au défi de le supporter dans son ignominie.

De sa première rencontre avec Felice, Kafka est littéralement *séduit* (comme le bourreau est attaché à sa victime), il doit se laisser séduire par Felice (son insignifiance) *pour écrire*, lui exposer l'art de séduire ce qui se donne pour la séduction elle-même et, par renversement, cet art est un savoir qui consiste à ne pas se faire avoir, c'est-à-dire un refus de se soumettre au sexe et de s'exécuter.

Kafka est séduit par la *félicité*, un moment entrevue, du prénom de sa fiancée, mais se méfiait de son nom *Bauer* qui, s'il avait toute la vertu du *paysan* ou de «l'homme ignorant» dont Kafka faisait le «seul citoyen du monde», signifiait aussi la *cage* ou la *volière* qui risquait de prendre l'oiseau de malheur, le *choucas* qu'il était.

La correspondance de Kafka se fait donc aux dépens de Felice, à l'insu de celle qui croit y correspondre parce qu'elle ne sait pas encore qu'elle n'est, en cette occasion, que le spectre, le fantôme qui prête une vie provisoire au combat de Kafka.

Diabolie du devenir-lettre où l'Amour soufflé n'est possible que dans le rapprochement de ce qu'on peut tenir éloigné, que si les correspondants se mettent hors-jeu, retardant leur corps-à-corps: «La grande facilité d'écrire des lettres doit avoir introduit dans le monde — du point de vue théorique — une terrible dislocation des âmes: c'est un commerce avec les fantômes, non seulement avec celui du destinataire, mais encore avec le sien propre; le fantôme croît sous la main qui écrit... les baisers écrits ne parviennent pas à destination, les fantômes les boivent en route... en inventant le chemin de fer, l'auto, l'aéroplane. Mais cela ne sert à rien, ces inventions ont été faites une fois la chute déclenchée; l'adversaire est tellement fort, tellement plus calme; après la poste il a inventé le télégraphe, le téléphone. Les esprits ne mourront pas de faim, mais nous nous périrons.»

Discours sur le peu d'existence des êtres qui ne peuvent communiquer que dans cette déchirure (dislocation) qui les rend étrangers l'un à l'autre.

«Érotisme de désert», disait Bataille de Kafka.

«Ma vie est hésitation devant la naissance.»

Jamais, peut-être, Kafka n'aura été plus exaspéré par l'abjection du coït que dans ce brouillon d'une lettre à Felice où il se rappelle, à la lisière du refoulement originaire, cette scène primitive qu'il fait remonter dans sa mémoire afin de revivre avec horreur le grand cloaque[18] de sa venue au monde.

«Mais enfin, je suis issu de mes parents, je suis lié à eux et à mes sœurs par le sang, ce sont là des choses que je ne sens pas dans la vie courante et parce que je suis nécessairement fourvoyé dans mes buts particuliers, mais je les respecte, au fond, plus que je ne crois le faire. Il arrive que je les poursuive aussi de ma haine, la vue du lit conjugal de mes parents, des draps qui ont servi, des chemises de nuit soigneusement étendues, peut m'exaspérer jusqu'à la nausée, peut me retourner le dedans du corps; c'est comme si je n'étais pas définitivement né, comme si je sortais toujours de cette vie étouffée pour venir au monde dans cette chambre étouffante, comme s'il me fallait sans cesse aller y chercher une confirmation de ma vie, comme si j'étais, sinon complètement, du moins en partie, lié de façon indissoluble à ces choses odieuses. — Le fait est qu'elles restent collées à mes pieds, mes pieds qui veulent courir et sont enfoncés dans la première bouillie informe. C'est ainsi parfois.»

Bouillie informe: va se greffer là le symptôme somatique de Kafka par le biais d'étranges habitudes alimentaires qui ne sont pas celles de la communauté juive et qui ne lui sont commandées par aucun impératif religieux. Par ce dégoût alimentaire, forme d'ajection, Kafka fait l'expérience de l'*impropre*. Devenu végétarien, il se fait une règle de mastiquer au moins cent fois chaque aliment qu'il absorbe: manducation qui est le rappel de cette bouillie informe dont il fait entendre dans sa bouche l'odieuse insalivation d'où il est né, mais qui n'est *autre* que lui-même qu'il vomit en permanence pour vivre. Au lieu de cette terrible gymnastique qui l'empêchait de prendre part au repas commun, à cette scène familiale, à ce *koinos* communautaire, Kafka s'exerce plutôt à jeûner. De la même manière, écrire comme forme de la manducation[19] se renverse en «écrire comme forme de la prière».

Kafka, suite à une laryngite tuberculeuse, meurt d'inanition après avoir corrigé les épreuves de sa nouvelle *le Champion du jeûne*.

Bondir hors du rang des meurtriers, ne pas répéter le meurtre du père comme rapport à la mère, échapper à l'impératif de la coïtération dont il ressent la débile séduction comme un malheur, sortir du roman familial mais *de l'intérieur*, se mettre hors monde où la mort l'attend, cela ne se peut pour Kafka qu'à la condition de payer de sa personne l'écrit pour le dire.

La tension de l'écriture de Kafka dans la lettre fait trou de la Loi *là* où elle défaille (du côté des jeunes filles qu'il faut s'enchaîner). La fiction, mémoire vivante, empêche toute fixion de la Loi, montrant le vide dont elle est le fait et l'effet de peur dont elle se soutient à soumettre les membres d'un ensemble à son ordre.

«L'écrivain, quelque chose qui n'existe pas, transmet le vieux cadavre, le cadavre de toujours, à la fosse. (…) Il est le bouc émissaire de l'humanité, il permet aux hommes de jouir d'un péché innocemment, presque innocemment.»

Permettre aux hommes de jouir d'un péché innocemment, c'est l'expérience de l'écriture comme inter-prétation *en acte*.

Une version abrégée de ce texte a été prononcée à l'Université de Montréal lors d'une séance de la Société de Philosophie de Mont-réal autour du thème «Le dit, l'écrit, la vie», le 24 mars 1981.

---

1. Qu'il faudrait écrire pas-thétique, en ce sens que s'y entend le refus d'une exigence éthique.
2. Au sens où ce mot est déployé par Mathieu Bénézet et Philippe Lacoue-Labarthe dans leur dialogue en ouverture à «*Haine de la poésie*», Christian Bourgois Éditeur, coll. «Première Livraison», Paris, 1979.
3. «Tout peut être dit, toutes les idées, si insolites soient-elles, sont attendues par un grand feu dans lequel elles s'anéantissent et renaissent.» Ce qui ne va pas sans mal (physique) ni résistance (phychique) puisque, dans le même temps: «Tout se refuse à être écrit.»
4. Cf. «Survivre» de Jacques Derrida, encore inédit en français. Contrairement à Georges Bendemann dans *le Verdict*, Kafka n'attend pas le *prononcé* de la sentence, mais d'avance coupable, il se sait condamné à l'exclusion, c'est-à-dire encore une fois à écrire — où l'écriture redouble la loi qui se suppose (et fait semblant) d'être écrite. L'écrivain survit à cette faute du père, non en prenant sa place pour le perpétuer, mais en dévoyant le nom-du-père pour le disséminer dans l'écrit qui le nomme et dont il est le porteur.
5. J'entends par porteur d'écrit celui qui joue ce qu'il écrit ou écrit ce qu'il joue. D'où le drame en cours, l'interprétation en acte d'une parole qui affirme la jouissance qu'il y a d'écrire ce qu'il écrit, toujours joueur et chaque fois joué.
6. Suicide et célibat: les deux interdits qui empêchent l'accès à la Torah. Il est vrai que Kafka, à partir de ces deux point-limites, adopte une position médiane: le mourant, le fiancé, qui va lui permettre d'écrire en forçant la main de l'autre — la femme en tant que représentante de la vie. Lorsqu'il écrit en début du *Journal* que «le célibataire n'a que l'instant», il est tentant d'en rapporter la formule à cette brève note, en regard de Kierke-gaard: «Christ, Instant». Célibataire donc, et plus que juif, comme le Christ, non pas tellement parce qu'en tant que sujet filial il expie le meurtre du père (restant refoulé et inavoué), mais parce qu'il vient comme médiateur *accomplir* les Écritures, c'est-

à-dire montrer le semblant dont se fonde la loi d'être supposée écrire. Accomplir les Écritures, cela veut dire desceller les tombes (comme la lettre), déverrouiller le sens pour qu'il fasse interprétation dans l'écrit. Question de résurrection. Kafka: «Le messie viendra dès l'instant où l'individualisme le plus déréglé sera possible dans la foi, — où il ne se trouvera personne pour détruire cette possibilité et personne pour tolérer cette destruction, c'est-à-dire quand les tombes s'ouvriront. Ceci est peut-être aussi la doctrine chrétienne, tant dans sa manière réelle de montrer l'exemple qui doit être suivi — un exemple individualiste — que dans sa manière symbolique de montrer la résurrection du médiateur en tout individu.» Ou encore ceci, dans la foulée de l'aphorisme précédent: «Le Messie ne viendra que lorsqu'il ne sera plus nécessaire, il ne viendra qu'un jour après son arrivée, il ne viendra pas au dernier, mais au tout dernier.» Mais, pour un écrivain, la résurrection est déjà advenue, et, dans l'ignorance de l'avenir où il se tient, il interprète le jugement dernier dans le sens du plus grand comique dont il fait l'épreuve jusqu'à son tout dernier jour.

7. Une véritable partouze, faudrait-il dire, entre le père et le fils, la fiancée et l'ami, une *partie carrée* où la mère comme revenante vient occuper la place vide des échanges pour couper court à l'intimité d'un père avec son fils.

8. Pour une *analyse* de cette nouvelle, cf. Daniel Sibony, «D'un sciage de la lettre» dans *l'Autre incastrable*, Paris, Seuil, 1978.

9. Cf. la note du *Journal* (12 février 1913), à la suite de sa lecture publique du *Verdict*: «Ma sœur m'a dit: 'C'est notre appartement.' Je m'étonnai qu'elle eût mal compris la distribution des lieux et lui dit: 'Mais dans ce cas, il faudrait que le père habitât aux W.C.'».

Sur plus d'un point, il faudrait rapprocher *le Verdict* du rêve de Freud, intitulé «du comte de Thun», et dans lequel Freud tend à son père l'urinal (cf. *l'Interprétation des rêves*, P.U.F., pp. 184-193). Tour à tour sont évoqués la tyrannie de l'allemand, la question de l'antisémitisme et du nationalisme, le chien et la collection des injures, «la femme de charge» et les filles publiques, le souvenir de Grillparzer, etc., mais surtout l'incontinence et la défaillance du père aveugle qui édicte à l'endroit du fils: «On ne fera rien de ce garçon.» À partir de là, Freud poursuit *en bas de page* (note 2 de la page 191) l'interprétation de la fonction paternelle autour de la malédiction performative du père où «Penser et faire sont une même chose». Quant à l'urinal comme objet, il marque le difficile rapport de Freud à l'art, rapprochant les artistes des hystériques: c'est-à-dire que lui Freud tend au père l'urinal comme symbole de sa victoire sur l'hystérie et dépassement de l'art retourné à son enfance.

Analyse et écriture: Freud et Kafka qu'il n'a pas lu. Kafka, qui dit avoir rédigé *le Verdict* «dans le souvenir de Freud *naturellement*» (je souligne), écrit ceci à Max Brod (juin 1921): «Mieux que la psychanalyse me plaît en l'occurence la constatation que ce complexe paternel dont plus d'un se nourrit spirituellement n'a pas trait au père innocent, mais au judaïsme du père. Ce que voulaient la plupart de ceux qui commencèrent à écrire en allemand, c'était quitter le judaïsme, généralement avec l'approbation vague des pères (c'est ce vague qui est révoltant), ils le voulaient, mais leurs pattes de derrière collaient encore au judaïsme du père et leurs pattes de devant ne trouvaient pas de nouveau terrain.» Kafka et Freud: sortie de la «sphère paternelle» en commençant par l'occuper de leurs critiques.

10. «Dieu ne veut pas que j'écrive, mais moi, je dois. C'est donc une éternelle montée et une éternelle descente, mais finalement Dieu est le plus fort et il en résulte plus de malheur que tu ne peux l'imaginer» (lettre à Oscar Pollack, 9 novembre 1903). Pour la résolution de ce conflit entre le haut et le bas par lequel fonctionne la machine paranoïaque, Kafka va construire une série de machines à remonter le temps, à découper, à déconstruire, etc., afin de soutenir les «assauts» de sa propre vie en les retournant par le bas comme «assaut contre les frontières» dont il définit la tâche de la littérature.

11. Felice: être de papier en ceci qu'elle est la pièce maîtresse de la correspondance par laquelle Kafka l'*intime* à lui donner la réplique. Elle est l'enjeu d'une réponse au sujet de l'engagement pris, lors de leur première rencontre, de séjourner ensemble en Palestine. De la terre promise, Kafka passe à la chose promise (*res sponsa*) où de la chose elle tient lieu de fiancée (*sponsa*). Par là elle devient l'aide-mémoire de Kafka, l'incarnation du souvenir (autre réplique) de Régine pour Kierkegaard, de Charlotte pour Goethe, de Henriette pour Kleist. De la tourmenter par envoi postal, il fait d'elle l'être de son tourment dont il exige la riposte.

12. Cette note de Kafka est pour le moins énigmatique. Il est possible d'y entendre une allusion à une pratique de droit ancien, «les épices du juge», que tout plaideur payait sous forme d'une taxe pour chaque pièce de procédure, d'autant que Kafka — et cela depuis l'enfance — entrevoyait ses rapports avec son père comme les délibérations du tribunal par un Père-Juré. S'il hérite d'une boîte à épices que je suppose vide, Kafka va s'empresser de la transformer en boîte à lettres.

13. Comme ce «grand corps» pétrifiant de la Statue de la Liberté (transformée par Kafka en Statue de la Justice) qui aveugle Karl Rossmann au point de lui faire commettre une série d'oublis qui déclenche et précipite dans une course folle le récit de *l'Amérique*.
14. Cf. le rêve du célibataire Müller, analysé par Freud dans *l'Interprétation des rêves*.
15. Pour entrer dans le vrai *enfer* des écrivains, Kafka en énonce les «cinq principes (dans leur succession génétique): 1. 'Le pire se trouve derrière la fenêtre.' Tout le reste est angélique (...)./ 2. 'Tu es tenu de posséder toutes les femmes', non pas à la manière de Don Juan, mais pour te conformer à ce que le diable appelle 'l'étiquette sexuelle'./3. 'Cette femme, il ne t'est pas permis de la posséder', et par conséquent tu ne le peux pas. Fata Morgana céleste en enfer./4. 'Tout n'est que besoin'. Comme tu as le besoin, sois satisfait./5. 'Le besoin est tout'. Comment pourrais-tu avoir tout? En conséquence tu n'as même pas le besoin.»
16. Comme Freud se désigne lui-même à l'adresse de Binswanger.
17. L'insignifiance de Felice répond à l'insignifiance de Kafka, celui-ci ne pouvant être compris qu'en s'enchaînant une femme, ce qui «signifierait être soutenu de tous côtés, avoir Dieu».
18. Chez les oiseaux, le cloaque désigne l'orifice commun des cavités intestinale, urinaire et génitale.
19. Comme il s'en explique dans son *Journal* (3 octobre 1911): «Enfin je tiens le mot 'stigmatiser' et la phrase qui va avec, mais je continue à garder tout cela dans ma bouche avec dégoût et un sentiment de honte, comme si les mots étaient de la viande crue, de la viande coupée à même ma chair (tant cela m'a coûté). Etc., etc.»

Joyance

Qu'y a-t-il dans un nom? C'est ce que nous nous demandons quand nous sommes enfants en écrivant ce nom qu'on nous dit être le nôtre. Une étoile, une étoile diurne, un astre-météore se montra à sa naissance.

Joyce

I

Les centenaires se suivent et ne se ressemblent pas, ou plutôt oui — ils se rassemblent tous en un point de convergence unique qui consiste à y célébrer généralement n'importe qui ou n'importe quoi: plus précisément un acte de naissance délivré en tant que certificat de décès attesté entre spécialistes. Comme si on s'assurait ou se rassurait du fait qu'un auteur — cet *autre* en passant sur lequel on va faire l'impasse — était bel et bien mort-né.

Voilà: c'est le centième anniversaire de la naissance de James Joyce et, en m'autorisant d'en parler, je ne ferai certainement pas mieux que les autres. Sauf à dire, peut-être, que la naissance de James Joyce, le 2 février 1882 à Dublin en Irlande, est un fait unique dans les annales de la littérature mondiale.

Aucun écrivain, plus que Joyce, n'a été touché par la question et les implications de la naissance et, surtout, personne avant Joyce ni depuis Joyce n'a pensé en permanence sa propre naissance comme un état de surrection, de résurrection et non de renaissance, donc de *passage*, au point de l'épiphaniser et, plus encore, de la signer en acte dans la joie de son propre nom.

Car, enfin, l'opération qui vous fait sortir du ventre d'une femme qui devient, par la même occasion, votre mère et, de ce fait, n'est donc plus à vos yeux une femme, cette opération ne va pas de soi. Mais qui s'en soucie? La plupart d'entre nous sommes bien sortis sans trop de complications du ventre d'une mère pour recevoir aussitôt nom et comme cette opération relève du commun des mortels et, à nos yeux, de tout ce qu'il y a de plus naturel dans l'ordre des phénomènes, il n'y a donc pas lieu de s'interroger sur cette affaire. Au mieux nous allons à notre tour reprendre en mains la cause de l'espèce en désespoir de cause, en tant qu'elle ne cesse pas de se répéter dans la même méconnaissance de sa cause que Joyce, se pointant par là, traite sous l'espèce du *be-cause*[1].

Because: pétition de principe de l'animalité parlante où chaque *be* (être) croit qu'il est, selon un processus naturel, l'effet de sa *cause* en représentation dans l'être qui s'en trouve affecté. «Now, the doctrine obtains, we have occasioning cause causing effects and affects occasionally recausing altereffects.» Bruits de fond et rumeurs des êtres en déroute dans leurs discours, chacun emporté par le courant dérisoire du désir qui le déporte de phénomène en phénomène sans jamais y trouver son compte que déjà conté, raconté et totalisé. «The untireties of livesliving being the one substance of a streamsbecoming. Totalled in toldteld and teldtold in tittletell tattle. Why? *Because* (je souligne), graced be Gad and all giddy gadgets, in whose words were beginnings, there are two signs to turn to, the yest and the ist, the wright and the wronged side, feeling aslip and wauking up, so an, so farth.» Joyce relève, en négatif dans l'écrit, l'ahurissant clapotage de l'humanité discourante en illusion d'origine et rendant grâce par de stupéfiants godemichés à tout ce qui gode de partout et de tout temps[2]: le monde des phénomènes ramené, à travers la doublure des mots et des choses, à un substantialisme de l'effet-mère d'où émane le sacré.

Façon d'avouer, évidemment sans le dire, que nous ne sommes pas sortis de la mère, que nous sommes toujours dans la mère rivés à la mère: c'est d'ailleurs ce qui nous permet de parler et de faire en sorte que ce qui nous fait parler, mais inconsciemment, tisse le semblant du contrat social qui nous met à l'abri d'une telle question quant à notre passage dans ce monde. Que quelqu'un, d'aventure, pose la question et vous assistez sur-le-champ à un barrage de résistances. Freud a posé la question, c'est-à-dire qu'il l'a ouverte à l'interprétation. Joyce, qui ne refuse pas l'interprétation de Freud ni aucune interprétation du reste[3], se met en tête de donner par écrit une réponse vivante en tant que mise-en-procès continue de la question. D'aveuglement en aveuglement, Joyce poursuit sa course et, comme chacun sait au point de ne pas vouloir le savoir, plus Joyce est aveugle[4], plus il voit clair et plus il voit clair, moins il a besoin de voir, seulement d'entendre dans ce qu'il voit la vérité fondre sur lui dans le grand éclat de rire de l'univers. Cette peur du destin qui nous donne des allures et un dessein si funestes, Joyce la transforme en «farce of dustiny» où il y aura pour chacun et chaque corps (every-body) du «funferall». De sorte que, contrairement à ce qu'on dit, Joyce n'écrit pas la veillée de Finnegan, mais bien la veillée des Finnegans que nous sommes. C'est-à-dire que Joyce prend en charge le fait que l'espèce, l'illimitation de l'être parlant, se joue en chacun de vous et à travers vous. Ce que Dante appelait *transumanar*, une façon de transhumaner dans le langage, mais sans la différer, la question de la naissance.

La découverte de Joyce, il me semble, elle est là: dans le fait que la naissance est frappée d'interdiction de langage. C'est ce refoulement originaire du temps en tant que fonction du langage que Joyce va faire parler en langues de feu déflagrantes afin de savoir d'où il est venu comme enfant et surgi comme nom. C'est du grand art.

Deux stratégies s'offrent alors à lui pour tenir le coup de cette question et la porter jusqu'à la limite. D'abord celle d'*Ulysse* qui consiste à prendre une langue de base en vue de la décliner. C'est le «basically english» qui, par défaut, lui servait de langue maternelle adoptive et à travers laquelle il fait entendre, mais sans s'y plier, son appel, ses accents, ses intonations, son rythme, son histoire et ses ruptures. Ce qui ne représentait pour Joyce que la manière négative de traiter cette question à revers de la langue et qui trouve son exact correspondant dans le refus de Stephen de s'agenouiller devant le lit de mort de sa mère. Il s'agit ensuite de redoubler cette première négation, de pousser à bout ce langage détruit: c'est la traversée d'*Ulysse dans Finnegans Wake* où l'anglais n'est plus que le philtre inoculé du virus de toutes les langues en train de fuir en elle, de fluer au gré du courant pour la dissoudre en «unglish», le tout orchestré-disposé en volume, dans le tout de tout le volume troué («whole wholume») qui laisserait voir dans ce qui se donne à entendre le *trou* par lequel Joyce est passé pour donner de la voix, pour écrire cette «idioglossary» à travers les «serial dreams» et les «mutuo-morphomutations» de la nuit des langues. Scène d'écriture: «Scribenery», audio-livre: «soundscript», où le lecteur doit se munir d'un «optophone» afin d'assister à la fermentation des mots dans le fictionnement du monde[5].

Reprenons les choses d'un autre angle. La naissance de Joyce ne revêt tant d'importance que parce qu'il est un écrivain de naissance, s'affrontant à la question des questions, à savoir ce qu'il en est de *n'être*. D'autant plus que Joyce n'est pas un écrivain *précoce*. Il a mis du temps à venir, c'est-à-dire à penser d'où il était venu comme enfant. Il lui aura fallu s'exiler volontairement, changer de lieu, épiphaniser le cloaque des morts dublinois qu'il avait quitté, trouver un point d'échappement dans la langue à partir duquel il puisse saisir son propre surgissement comme corps parlant arraché à l'espace en surplomb du temps. Il procède alors à des «gropings of a spiritual eye», commençant à voir dans ce qui se parle quelque chose qui n'est pas de l'ordre d'une vision: un geste de langage, immodéré et permanent, qui ouvre à son *entéléchie*.

Je résume par là le passage de *Stephen le Héros* au *Portrait de l'artiste en jeune homme*, c'est-à-dire de la vision «héroïque» à la version «artistique» par laquelle le «jeune homme» entreprend un procès de *nomination* dans l'écoute du désir qui l'interpelle: «Rien dans le monde réel ne le touchait, ne lui parlait, à moins qu'il n'y entendît un écho de ce qui criait furieusement au-dedans de lui.» La fureur de Stephen l'entraîne à un triple détachement: envers sa mère, la mère l'Église et la mère-patrie. À travers les interrogations de Stephen, Joyce opère une série de détournements (négations en inclusion) de cette polymère dont il ravage les limites en vue d'une élaboration symbolique: faire entendre l'autre (*other*) dans la mère (*mother*), prendre en écharpe cette «absurdité logique et cohérente» que représente le catholicisme, canaliser à distance le lieu d'origine jusqu'à s'en faire le dévoyeur.

Appelons-ça un effet d'exil comme support de l'écriture ou son *appareillage*.

Le *non* de Stephen — son refus de s'agenouiller

auprès de sa mère mourante afin de prier — inaugure *Ulysse*. «Dans l'obscurité pécheresse d'un ventre je fus moi aussi fait, et non engendré», dit-il au cours de son monologue intérieur (épisode «Protée») et pendant lequel il se masturbe devant la marée montante. Son refus de toute phéno-natalité l'entraîne à s'interroger sur la paternité (comme «fiction légale») et à repousser une apparition de sa mère morte: «La mâcheuse de cadavres! Tête crue, os sanglants!»

De la reproduction, Joyce indique — zoologiquement — qu'elle «est le commencement de la mort». Façon de dire que celui qui se croit vivant, bien venu au monde, n'est qu'un cadavre ambulant, somnambule tournant en rond dans le monde qui l'enferme. De cette passion du cadavre s'occupent la religion et la politique, se caviardant l'une l'autre ou interchangeant leurs places si nécessaire, afin de gérer en l'encadrant et de détourner en le différant tout sujet parlant pour qu'il ne pense plus à la question sans réponse de sa venue, mais s'illusionne au contraire sur le fait d'être né à l'horizon du meilleur des mondes possibles. Joyce va interroger et sonder cette *polis* religieuse qui fait d'un enfant coïté entre mort et sujet la manifestation d'un dispositif naturel qui n'avoue pas son nom et qui n'est rien d'autre qu'un acte criminellement accepté par tous en tant que refus et déni angoissés de la sexualité d'où prend effet la jouissance d'être inter-dite. Qu'est-ce qui fait mystère pour un homme dans la maternité d'une femme? Qu'est-ce qui tient de l'énigme pour une femme du côté de la perversion dont s'octroie un homme[6]? Du côté de la mère: d'où viennent les enfants? Du côté du père: qu'y a-t-il dans un nom? Ces deux questions, non symétriques, que se tient Joyce sont au travail dans *Ulysse* et *Finnegans Wake* et y reçoivent des traitements différents. Non pas que Joyce donne des réponses, mais, sous la forme de multiples énonciations ressaisies à travers les langues et les discours, il va inscrire en elles une décomposition analytique: *d'où vient que ça se parle en se nommant?*, au point de produire sa propre dissolution. Il serait trop long d'élaborer sur cette dimension du travail de Joyce. Je me contenterai d'insister seulement sur la datation, le *comput* qui règle le destin de ces deux textes.

Chacun sait qu'*Ulysse* met en scène les événements d'une journée à Dublin le 16 juin 1904, que cette date n'est pas innocente puisqu'elle marque l'anniversaire de la rencontre de Joyce avec Nora Barnacle dont il *fera sa femme*. J'emploie cette expression pour indiquer que Joyce, contrairement à Kafka par exemple, ne s'interdit pas de prendre femme sous les espèces de la mère qu'elle deviendra. Sans trop forcer, il est possible d'affirmer que c'est à partir de la rencontre avec Nora que Joyce, quittant l'Irlande, va écrire *Ulysse*, mieux, c'est à partir du corps de Nora qu'il disait «musical, étrange et parfumé» que Joyce va montrer ce qu'il en est de la maternité en démontant la matrice de la langue. Lisez l'épisode des «Bœufs du soleil», qui, à partir de la technique du développement de l'utérus, met en scène l'accouchement d'un nouveau-né[7] en même temps qu'est déclinée dans l'écrit l'évolution de la langue anglaise du bas-saxon au slang américain. En d'autres termes, le point de départ de toute l'histoire loge dans l'*utérus* (conséquence du péché originel) dont il va falloir produire l'*utterance*, l'énonciation multiple des langues dans une langue traversée par *un* nom.

Nora disait de Joyce qu'il était un tueur de femmes. D'autres laissent entendre que Joyce provoque le matricide des langues. Il s'agit en fait de la même incompréhension qui rend Joyce si «illisible» parce qu'il met en question toute communauté qui ne tient pas le compte des morts dont elle est issue.

«Where did thots comme from?» C'est la question

des questions. D'où viennent les enfants (*tots*, en anglais) pour que ça pense là (*though*) entre le mal d'une femme (*thot*, en gaélique, désigne le sexe de la femme[8]) et Dieu (*Thoth*, dieu égyptien de l'écriture et de la communication) dans le calcul (*tot*, en anglais: addition, colonne de chiffres) de la mort ou des morts (*tot*, en allemand). Plus simplement: d'où vient qu'à partir de la *mother* il y ait de l'Autre (*Th'Other*)? Il faudra à Joyce toute la dépense verbale de *Finnegans Wake* pour dénouer «the family umbroglia» dans le lapsus de l'espèce quant à la croyance en la possibilité de l'inceste.

Joyce avait la manie des anniversaires qu'il appelait «jours du souvenir», en particulier l'anniversaire de naissance: «the first and last rittlerattle of the anniverse». De sorte qu'il faut sérieusement prendre en considération le fait qu'*Ulysse*, au-delà du souvenir remué de sa rencontre avec Nora, est publié le *2 février* 1922, soit le jour du quarantième anniversaire de Joyce. D'autre part, ce n'est que le 2 février 1939 que ce qui s'était nommé jusque-là *Work in progress*, en tant que processus de perlaboration, est baptisé *Finnegans Wake*, titre que Joyce avait tenu secret durant 17 ans[9].

Le deux février, c'est la fête de la Chandeleur, la purification de Marie et la présentation de Jésus au Temple. Selon la tradition juive: purification de la mère d'avoir conçu et rachat de l'enfant d'avoir été conçu. Cette occasion donne lieu à la prophétie de Syméon qui vaut d'être citée: «*Vois!* cet enfant doit amener la *chute* et le *relevement* d'un *grand nombre* en Israël; il doit être un *signe* en butte à la *contradiction*, — et toi-même un glaive te transpercera l'âme! — afin que se révèlent les *pensées intimes* d'un grand nombre.» Façon de reprendre la question: Where did thots comme from?» sous la forme du Verbe fait chair que signe l'autre question: «What's in a name? L'invisible passe dans le visible (la chair) et fait signe: *une étoile... se montra à sa naissance* (cf. notre exergue). La Chandeleur, c'est la fête des illuminations (la prophétie d'Anne et de Syméon) dans le retour de l'Épiphanie (l'étoile des Mages), c'est la reprise de l'Annonciation de Marie où Jésus reçoit Nom avant sa naissance.

Étrangement, la prophétie de Syméon comme rappel de l'Annonciation est à mettre en rapport avec cette anecdote, notée par Joyce dans son carnet de Trieste et reprise au début d'*Ulysse*, de sa mère qui, jeune fille, riait lorsque le vieux Royce chantait: «I am the boy/ That can *enjoy/Invisibility.*» Entre le vieux Royce (à une lettre près de Joyce) et la jeune fille qui deviendra mère, il y a l'apparition du thème pneumatologique, le «mystère d'une présence invisible» (dit Joyce) accompagne de son signe visible (l'épiphanie du nom qui, une fois reçu, assigne à un corps). Mystère de l'incarnation de James Joyce à travers l'Annonciation de Molly.

Ainsi le monologue de Molly, non ponctué par des signes visibles mais par des noms propres (comme le souligne Sollers), raconte les malheurs d'une femme mise à mal par l'Esprit-Saint (l'Amour) d'être cette «chair qui-dit toujours *oui*» (selon les indications fournies par Joyce). D'être toute ouïe, séduite, elle engendre le Verbe, de sorte que le oui final qui clôture le monologue de Molly doit s'entendre comme l'*ainsi soit-il* qui termine l'Annonciation, cet *Amen* qui engramme et anagramme les noms: *Name*[10].

N'oublions pas que Molly, diminutif de Marion (Marie), que Joyce surnommait Madona, est née le 8 septembre 1870. 8 septembre: Nativité de la Vierge Marie. 1870: constitutions *Dei Filius* (sur la révélation et sur la foi) et *Pastor aeternus* (sur l'infaillibilité pontificale), proclamées au Concile du Vatican par Pie IX, le même qui proclama le dogme de l'Immaculée Conception de Marie (8 décembre 1954). Tout au long de son œuvre, il ne déplaît jamais à Joyce de se mesurer à «l'absurdité logique» des dogmes catholiques.

Bien entendu Molly, en tant que *personnage* reste entachée de tous les vices, son monologue est littéralement obscène. Mais c'est précisément en fonction du sens littéral, toujours antérieur, que Joyce se donne les moyens d'une élaboration symbolique: anagogique ou *sur-sens*, comme le dit Dante dans son *Convivio*, «quand spirituellement on expose une écriture, laquelle, encore que vraie soit déjà au sens littéral, vient par les choses signifiées *bailler signifiance* des souveraines choses de la gloire éternelle». De sorte que le *oui* de Molly — «le dernier mot (humain, trop humain)», «le mot le plus positif du langage humain», commente Joyce — accorde «l'indispensable contreseing au passeport de Bloom pour l'éternité».

Il est possible d'affirmer que l'épisode *Pénélope* n'est vraiment lisible qu'en fonction d'un texte antérieur de Joyce, *Giacomo Joyce* dont l'écriture annonce avant la lettre *Ulysse*, s'ouvrant sur *Yes* («*Oui*: brève syllabe. Un rire bref. Un bref battement des paupières.») pour se clore sur *Because* («Parce que, sinon je ne pourrais plus vous voir.») De sorte que *Pénélope*, sous les doubles traits de Molly-Madona, représente l'*assomption* de toutes les femmes de James *Giacomo* (prénom de Casanova) Joyce: Nora Barnacle, Amalia Popper, Martha Fleishmann et Miss Weaver (la *tisserande*, comme l'indique son nom). *Passeport pour l'éternité* de *Giacomo Joyce*: «Ma voix, qui meurt dans l'écho de ses paroles, meurt comme la voix, lasse de sagesse, de l'Éternel appelant Abraham dans l'écho des collines. 'Elle' s'adosse au mur garni de coussins: forme d'odalisque dans l'obscurité voluptueuse. Ses yeux ont bu mes pensées: pénétrant dans la moite et chaude et molle et accueillante ténèbre et s'épandre une semence abondante et liquide. La prenne qui veut maintenant!» Brèves syllabes, rires brefs, le *oui* se multiplie dans *Finne-*

gans *Wake* comme un battement de paupière s'ouvrant et se fermant sur toutes les langues: «ahs ohs, oui sis jas jos gias neys thaws so, yeses and yeses and yeses», à travers les transnominations du Verbe dans sa chair.

Deux types de machine sont au travail dans les textes de Joyce. Dans *Ulysse*, la presse rotative qui, dans les plombs, inverse les noms et peut pulvériser en atomes le corps d'un homme si elle le happe au passage. Dans *Finnegans Wake*, le computer dans le traitement des langues. Si pour Joyce la littérature est une *ordurature*, jouant sur les rapports entre litter/letter, il faut ajouter qu'elle est aussi un *ordo* en tant que supputation du temps[11] (*Father Time...*) en travers des espaces (... *and Mother Spacies*). En voici le programme: «The vocative lapse from wich it begins and the accusative hole in which it ends itself; the aphasia... leading slip by slipper to a general amnesia of *misnomering* one's own.» D'aphasie en amnésie générale, ça commence par un lapsus et se termine au trou (de mémoire) du fait que l'espèce rate de se nommer correctement en chaque singularité.

Encore une fois il s'agit «d'être un signe en butte à la contradiction» (prophétie de Syméon). Ainsi le «whole wholume» in progress n'arrête pas de *tourner* («turn wheel again to the whole of the wall... and such a wall-hole did exist»), toujours aux prises avec la même question — entre *thot* (devenu *that*) et *other* — qu'il ne cesse pas de différer, c'est-à-dire d'*écrire*, en indiquant le *trou* par lequel quelqu'un a dû passer pour la dire: «About that and other. If he was not alluding to the whole in the wall? That he was when he was not eluding from the whole of the woman.» Vous entendez là, si vous écoutez bien, l'impératif de la formule freudienne quant au surgissement du sujet en proie au temps: «Wo es war, soll ich werden.» C'est une question d'acuité, de profusion dans l'abréviation.

Lacan, en 1955, était bien avisé lorsqu'il dit, lors de

178

sa conférence «Psychanalyse et cybernétique, ou de la nature du langage»: «nous vivons une époque assez grandiose pour imaginer une *grande muraille* qui ferait exactement le tour de la terre, et si vous percez une *porte*, où est l'*intérieur*, où est l'*extérieur*.» En conclusion, il ajoutait: «La fin du procès symbolique, c'est que le non-être vienne à être, qu'il soit parce qu'il a parlé.» C'était un hommage, avant la lettre du *sinthome*, moins à *La Muraille de Chine* de Kafka, qu'au *warping process* de Joyce.

Ainsi Joyce termine en 1939 *Finnegans Wake* qui propose le premier microprocesseur des langues, soit quelques mois après la découverte de la cybernétique par Rosenblueth et Wiener.

James Joyce: le pouvoir de jouir de l'invisible. Ce qui se dit, dans l'agitation permanente du sujet de *Finnegans Wake* où, comme dans un rêve, le nom propre devient commun: *joyance*.

Au-delà de la «voyance» (Rimbaud), le libre usage d'une langue — désappropriée dans l'appropriation de toutes les langues qui fuient en elle — trouve *son terme*, éventuellement, dans l'extrême limite de la *jouissance*. L'effet-*joyance* intraduit (plus qu'il n'introduit) dans la langue anglaise le fait qu'il n'y a pas d'autre terme qu'*enjoyment* pour traduire sa «jouissance».

Sotisfiction de Joyce.

II

S'il y a une longue tradition entre le Québec et l'Irlande, depuis les Patriotes de 1837 jusqu'au *Salut de l'Irlande* de Jacques Ferron, elle n'a jamais été examinée au-delà des simples allusions d'ordre politique et religieuse. Dans ce rapprochement entre les deux cultures, le nom de Joyce vient hanter le paysage de la littérature. Il y a bien une influence décisive de Joyce, mais combien décourageante et déconcertante, sur des écrivains aussi disparates que Gérald Godin, Hubert Aquin, Victor-Lévy Beaulieu, Roger Des Roches et André Gervais; seul Claude Gauvreau, peut-être, a réussi une transformation en langues qui puisse s'accorder avec celle de Joyce.

D'ailleurs, il s'agit moins d'une influence attestée, que d'une sorte d'*influenza* par laquelle ces écrivains sont pris en grippe par Joyce, au point de devoir s'aliter, prendre en patience leur mal et alimenter leurs rêves de sa vision et de sa présence comme une opération d'ombre en silence qui les hante.

Joyce, c'est en quelque sorte, l'impossible *rêve québécois* de la littérature[12].

La première mention de Joyce revient probablement à Robert Charbonneau dans son roman, *Ils posséderont la terre*, publié en 1941, dans lequel le héros André Laroudan rencontre Edward Wilding, fils d'ambassadeur, qui lit *Ulysse* et rêve à Leopold Bloom. Je crois que depuis 1941 nous n'avons guère mieux fait que de lire *Ulysse* en mettant soigneusement de côté *Finnegans Wake* et de rêver — en fils d'ambassadeur — à ce passeur des frontières, toujours en transit, qu'est Leopold Bloom tel que Joyce le fait décoller vers d'autres mondes, en une ascension vertigineuse hors de l'enfer de l'Histoire dans lequel, préférant le sommeil à l'insomnie et le rêve au réveil, nous sommes enfermés. Écoutez ce *wake* de Bloom qui, à travers la loupe de son nom en fleur, brûle comme un fou sa jeunesse: «Il errerait à jamais, jusqu'aux extrêmes limites de son orbite cométaire, au-delà des étoiles fixes et des soleils variables et des planètes télescopiques, chemineaux du ciel, jusqu'aux frontières de l'espace, allant de monde en monde, parmi les peuples et parmi les événements.» Cette opération de jour qu'est *Ulysse*, passant de monde en monde, devient dans la nuit des générations remontées de *Finnegans Wake* — «from landuage to landuage». Entre les deux romans, Joyce «a déclaré la guerre» au langage qui se prétend «grand éveillé», il est «allé au bout de l'anglais» et, comme il l'avoue à Samuel Beckett, il a «envoyé coucher le langage» jusqu'à devenir cet «abcedminded man». Voilà la stratégie: décollage-attérissage-décollage sans fin dans le langage où aucune langue ne résiste d'être ainsi transitaire, transitive et seulement transitoire, *transludée* au sens où le geste écrit de Joyce va bien au-delà du simple jeu de mot: «transluding from the Otherman». Vu sous cet angle, il ne reste plus que des différences en train de traiter leurs restes.

Pour notre part, nous sommes encore trop préoccupés de politique et de religion pour lire Finnegans Wake qui est le geste le plus désespérément cosmopolitique par lequel Joyce envoie promener le XX^è siècle en s'attaquant au fondement immédiatement religieux de tout nationalisme[13] qui fait de la supériorité de son langage la croyance en une langue maternelle et naturelle à l'exclusion de toutes les autres. La résurgence des nationalismes au XX^è siècle n'est peut-être rien d'autre que la plus formidable résistance à la découverte de Freud quant à l'inconscient qu'on voudrait, à tout prix, collectif. Mais l'inconscient, justement, ignore la langue, c'est-à-dire qu'il sait quelque chose dans toutes les langues pour peu que quelqu'un sache les entre-couper dans l'écoute. C'est ça l'expérience de l'écrit qu'on appelle la littérature. Et pour avoir poussé cette expérience au bout d'une langue envahie par le rire de toutes les langues, les écrits de Joyce ont été, d'une manière ou d'une autre, interdits en Irlande, poursuivis en justice par les américains, mis à l'index par les soviets, brûlés par les nazis, éconduits par Jung et remerciés par les avant-gardes.

Qu'on ait proclamé récemment le chanoine Lionel Groulx «patriote du XX^è siècle», me semble une bonne indication du fait que nous ne soyons pas sortis de «l'appel de la race», ni de la mère qui en est la garante. En clair, sur fond d'un ordre nouveau qui profère sa haine contre toute parole étrangère, cela veut dire qu'on est prêt à empêcher toute expérience d'écrit dans l'ordre de celle de Joyce à voir le jour. Ce dont Claude Gauvreau a déjà témoigné du temps même de Groulx. D'où la précaution dont certains écrivains, hier réputés d'accès difficile, s'entourent actuellement sous le couvert d'une nouvelle «lisibilité».

À l'avant-dernier chapitre d'*Ulysse*, Joyce fait circuler le nom de Québec au moment où Bloom, cherchant à occuper les loisirs de Molly, opte pour la solution d'un programme d'études du soir afin qu'elle acquiert une instruction générale. Afin de justifier la réponse qu'il donne, Bloom cite quelques exemples «de lacune dans le développement mental de sa femme», et parmi celles-ci la difficulté qu'elle a et la résistance qu'elle met à calligraphier en majuscule la dix-septième lettre de l'alphabet, la lettre Q: «Pendant ses moments d'inaction elle avait plus d'une fois couvert une feuille de papier de signes et d'hiéroglyphes qui, déclarait-elle, étaient des caractères grecs, irlandais, hébraïques. Avec constance et à plusieurs reprises elle l'avait interrogé sur la façon correcte de calligraphier la première lettre majuscule d'une ville du Canada, Québec.» Joyce aurait pu faire écrire à Molly Queens, Quercy ou Quirinal. Mais par un étrange hasard, c'est Québec qui vient sous la plume, comme si Joyce avait prévu le coup de notre difficulté à écrire, effacer et reprendre la *même* lettre à force de nous en tenir à *une* lettre, à tisser correctement ce *Q* d'une identité analement embusquée. Voilà, les écrivains québécois, je pense, ont la constance de cette Molly-Pénélope à s'attaquer sans relâche à la même lettre sous le signe d'une majuscule bien ourlée, détachée et musclée, et qui, dans l'attente de l'éternel absent, éloigne pour un temps tous les prétendants à lui voler cette lettre de cachet[14]. En revanche, ils n'ont pas la vivacité de Joyce pour s'envoyer en l'air et de partout à la fois «that letter selfpenned to one's other». À l'insomnie, ils préfèrent le sommeil dans lequel s'exhume une lettre, à peine esquissée que déjà rentrée, interdite dans la version sourde d'une langue phonétique et impuissante à nommer le désir dont elle s'agite en rêve. À la question de la paternité qui viendrait signer d'un nom la chute de cette lettre, ils préfèrent l'attachement à la mère qui la dicte, cet amour maternel — cette atmosphère chaudement maternelle que fuyait Borduas — qui donne l'illusion de tenir ensemble, de travailler au support commun d'une affaire de famille que scelle en retour l'entreprise plus générale d'une identité nationale et culturelle, renonçant du coup et se fermant à la moindre différence. Franchir l'horizon de cet engorgement massif dans lequel toute communauté imaginaire s'abîme, c'est se déplacer sur l'échiquier d'une identité moins affolée que jouée.

À la fin du *Portrait de l'Artiste en jeune homme*, Stephen déclare sur un ton grandiloquent, mais moqueur, qu'il veut «façonner dans la forge de (son) âme la conscience incréée de (sa) race». C'est généralement la phrase de Joyce que tout écrivain québécois cite avec ferveur et qu'il se répète à lui-même sans bien se rendre compte, outre le fait que le mot «race» est plutôt rare sous la plume de Joyce, que tout le paragraphe qu'elle clôture, n'est rien d'autre que l'adieu par lequel Stephen prend congé de sa mère et décolle afin de se rendre étranger à cette mère qu'il porte en lui sous les espèces de la langue et qu'il dépose avec le plus grand détachement. Cette décision de partir, Stephen l'avait auparavant formulée comme une volonté de ne plus servir, le refus d'un service militaire et militant du langage où généralement chacun s'engage: «Je vais te dire ce que je veux faire et ce que je ne veux pas faire. Je ne veux pas servir ce à quoi je ne crois plus, que cela s'appelle mon foyer, ma patrie ou mon église. Je veux essayer de m'exprimer sous quelque forme d'existence ou d'art aussi librement et complètement que possible, en usant pour ma défense des seules armes que je m'autorise à employer: le silence, l'exil, la ruse.» Tenir tout à la fois le silence, l'exil et la ruse — autant de négations dont se supporte l'écriture de Joyce dans le *non* de Stephen, expiant l'autorité dont il s'octroie afin de poursuivre cette traversée *écrite* —, c'est bien autre chose que de détenir une lettre de servitude qui ne vous laisse d'autre choix que de vous taire ou bien de vous exiler, sans jamais vous donner la chance de ruser. Quand ce n'est pas la folie ou le suicide (Gauvreau, Aquin) qui vient, au bout du compte, signer la chute du corps.

Donc, à la fin du *Portrait*, Stephen ne prend congé de sa mère que pour invoquer aussitôt l'assistance du père sans lequel silence, exil et ruse ne seraient que lettre morte: «Old father, old artificer, stand me now and ever in good stead.» Fonction paternelle que Stephen repose dans *Ulysse*: «fiction légale», «état mystique» et «transmission apostolique» — d'un seul à un seul. Joyce, de remettre la mère à sa place et de rappeler le père à son nom, se donne les moyens symboliques d'accomplir son écriture. Ce qui, bien sûr, va donner lieu à toutes sortes de tentatives d'*apparentement* du texte de Joyce.

Je note que c'est en référence au travail de Joyce qu'il prend à témoin, plus particulièrement à *Finnegans Wake*, ce qui est plus rare, que Gérald Godin défend en 1965 «le *joual* politique» dans une livraison de la revue *Parti Pris*. Qu'est-ce que Joyce peut bien avoir à faire avec le «joual» comme acte politique? Le geste de Godin est simple, il tient du réflexe de réduction. Tout *Finnegans Wake* comme opération de langage se ramène au «joual», à une sorte de «rhyming slang», comme il dit, qui «ne peut être compris entièrement que par l'Irlandais d'un tel type, d'éducation classique catholique, familier des pubs dublinois et de la faune qui y boit». Godin appelle ça «un réflexe de défense contre le lecteur qui n'a pas vécu l'Irlande et la misère de l'Irlande dans sa chair». D'où l'analogie avec le réflexe de défense de l'écrivain québécois qui utilise le «joual» et que «seuls les québécois qui sont et auront été victimes de la mise à mort de notre langage et de son remplacement progressif par des rapports étrangers, seuls ceux-ci, pourront percer les mystères de nos livres».

Ce réflexe de réduction et de défense tend à refermer le langage sur lui-même, hermétiquement clos à toute parole étrangère, cherche par tous les moyens à rameuter ce qui traîne dans la langue sous le couvert d'un naturalisme naïf et *naturalise* à nouveau ce qui pourtant s'était arraché à la «nature». Façon de dire qu'on n'est jamais aussi bien qu'en famille, dans l'appartenance à sa langue et dans l'apparentement des identités à une communauté. Godin est aveuglé par cette décomposition pulsionnelle de la langue qu'est le «joual» qu'il supplée par un discours militant et laïc qui a pour fonction de l'étouffer et de la boucler *politiquement*. Cet état de coagulation d'un sujet à sa langue, cet enracinement et cette paralysie, voilà justement ce qu'avait fui Joyce. À ne pas prendre en compte cet élément *catholique* qu'il souligne mais n'interroge pas, Godin opte pour une politique du pire (la religion nationale) dans une linguistique aux limites du corps pétrifiée[15].

S'il est vrai que *Finnegans Wake* se déroule dans une taverne où se coudoient le *sacré* et l'*obscène*[16], l'état de lapsus continu de phrases qui s'ouvrent sur leur mort et leur résurrection, ne se réduit pas au seul «slanguage», mais rend compte des opérations stratégiques de ce que Joyce appelle sa «trifid tongue», le fonctionnement d'une langue fendue en trois ou le tri d'une langue sans cesse épissée. De sorte que chaque effet de mot de *Finnegans Wake* renvoie à au moins trois mots en train de s'annuler avec *joyance* dans un *nom* qui en signe l'opération de langage. Alors que Godin, lui, ne retient de l'opération que le sens littéral, le plus bas, ob-scène, qui n'avoue pas son nom, effectivement le niveau le plus difficile à comprendre pour qui ne comprend pas le «slang» (cette pluie d'injures) et l'impulsion sexuelle qui le traverse. Joyce, au contraire, suit de près cette décomposition littérale du niveau de sens d'une langue absente à elle-même, entend et fait parler dans cet éclatement l'infinité des langues qui, étrangères, sont toutefois présentes dans chaque langue où elles s'ignorent les unes les autres. Ainsi Joyce saisit-il, à travers ce procès de langage blasphématoire et obscène, l'affirmation du Code, sa nature théologique, au lieu de le dénier, de refermer le langage sur lui-même. Par exemple, cet énoncé du *Scribbledehobble*: «Everyword for oneself but Code for us all», est transludé dans *Finnegans Wake* en «Everyone for himself and God for all». D'où la nécessité d'appréhender dans le travail de Joyce cette oscillation incessante entre obscénité et théologie[17] où s'entendent les hésitations et l'impermanence d'un sujet agité par l'infini qui, indicible, est toujours à dire.

Comment faire comprendre que Joyce n'écrit pas en «slang» ni en «gaélique», pas plus que Kafka n'écrit en «yiddish», que tous deux n'optent pas pour une «littérature mineure» à laquelle on voudrait les réduire, mais la font passer à travers des couches d'énonciation beaucoup plus complexes dans une *litteringture* où se nouent et se dénouent les éléments pulsionnels et signifiants de la question religieuse qui fait retour dans la politique. Voilà pourquoi Hubert Aquin refusait de se soumettre à cette seule littéralisation du sens qu'il appelait «le joual refuge». Ce qui, à mon avis, n'est pas étonnant puisqu'Aquin était le seul *lecteur* conséquent de Joyce au Québec, le seul aussi à prendre en considération dans son propre travail l'élément *catholique* de son éducation et, sans le dénier, à proposer sa décomposition spectrale relevée (anamorphosique) à travers saint Thomas d'Aquin (en écho à son nom), le baroque, le raffinement casuistique et l'expérience mystique.

À propos d'*Ulysse*, qui représente une position transférentielle à son propre travail, Aquin écrit: «Disons même que l'œuvre fabuleuse de saint Thomas se rapproche plus du roman 'homérique' de Joyce que les univers romanesques d'un Balzac ou d'un Flaubert. (...) Système baroque que celui du romancier irlandais, mais de plus, système relativiste et apparemment aussi profondément informé par la théorie d'Einstein et de Heisenberg qu'un roman peut l'être et ne l'a jamais été! (...) Rien n'est plus doté d'efficacité anaclastique que ce projecteur démesuré qui illumine tout ce qui se tient entre Ulysse et Léopold Bloom, incluant les deux termes de cette histoire, et toutes les phases intermédiaires possibles décrites par une sorte de balayage optique incessant et vertigineux.» Tant qu'on mesurera le texte d'Aquin en fonction d'une illusion d'appartenance politique, on ratera forcément sa limite interne à Joyce, sa dimension artistique, sa traversée incestueuse, son rapport à la science et, surtout, sa longueur d'onde théologique et biblique.

Toute sa vie d'écrivain, Aquin l'a passée à chercher Joyce, son «frère posthume». Ce que Joyce appelait la «paralysie» de la ville de Dublin, son *double* intérieur, est ressentie par Aquin comme «art de la défaite», «fatigue culturelle des canadiens-français», voyant en chacun de ceux-ci, «au sens propre et figuré, un agent double». À la fin, fatigué, incapable d'écrire les cabotages de son Ulysse, il avouait bien modestement qu'il n'avait suivi que les traces de Faulkner, Nabokov et Borges, laissant la poursuite de Joyce à Victor-Lévy Beaulieu.

De VLB, comme on l'appelle aujourd'hui, il faut encore attendre — après Hugo, Kérouac et Melville — son Joyce. Depuis quelque temps déjà, le travail est en cours sous le titre parodique de *Steven le héraut* — celui qui transmet les messages, le sujet-supposé-renseigner. Il y a longtemps que Steven est présent dans la Saga des Beauchemin, c'est le poète de la famille, le correspondant, celui qui a toujours le projet d'écrire mais qui, se heurtant à ce fonds de mémoire qu'est l'Europe, se détruit. Steven annonce Abel l'écrivain, celui qui tente d'accomplir l'écriture, le cavaleur de la langue qui refuse de se laisser prendre au piège et au mirage des écritures tel le scribe Bartleby de Melville. S'il y a là une analogie avec les frères jumeaux ennemis de *Finnegans Wake* qui se partagent le sens déchiré de la lettre et l'amour de la mère, je dirai qu'Abel est Shem, le *penman* et le *punman*, alors que Steven, en tant qu'entremetteur, est Shaun, le *postman* et le *chairman*.

Cependant, pas plus Beaulieu qu'Aquin, n'entendent cette polyphonie des langues au travail dans *Finnegans Wake* à travers leurs dimensions sexuelle, mythique, religieuse et historique. Pour eux, *Ulysse* marque un seuil infranchissable. Le seul qui a réussi une résurrection de langage à travers le dedans d'une langue qui s'exhibe dans le dehors des langues, qui a produit dans l'exil d'une langue l'éxubérance des langues qui s'y manifeste, c'est Claude Gauvreau dont le *langage exploréen*, ne s'annulant pas dans la seule insurrection glossolalique, force tout autre langage à se fissionner en lui. Dans *le Rose enfer des animaux* — de ce lieu où, enfermé, il était contraint d'écrire debout — Gauvreau se tient au plus près de Joyce: «no surrealist observer will ever admit that Iguassa and Amenhotep are crotchety and uxorious: the crowfoot plaything of turfiness zdrablafoutchs with the slipshod and this coalition is good néanmoins to the orchestrion.» Évidemment, il faudra attendre encore longtemps le lecteur de cet orchestration, de cette hypoglossite du langage «qui craque et qui cogne» (comme chez Artaud).

Cependant le mot joycien, qui défie toute synthèse, fait entendre l'hétérogénéité du sens à plusieurs dimensions, alors que le mot exploréen, très condensé par coupures de signifiants, dissout le sens et fait entendre un hurlement à la mort.

André Malraux, dans une entrevue posthume, glissait ceci à l'oreille de tout écrivain québécois en déprise de territoire et de langue: «je crois que le premier grand (écrivain) Canadien-français sera un émigré... un émigré de chez vous ailleurs. Joyce, qui a représenté la réalité irlandaise, a commencé à la représenter quand il a quitté l'Irlande.» Et Joyce notait, dans son carnet de Trieste: «Un effet de résurrection de la nation irlandaise serait l'entrée sur la scène européenne de l'artiste et du penseur irlandais, un être sans éducation sexuelle.»

Quel écrivain québécois pourrait faire un tel aveu et se dire *un être sans éducation sexuelle*? Aquin et Gauvreau ont montré la voie, peut-être parce que, comme Joyce, ils étaient élèves des jésuites.

Qu'y a-t-il dans la détermination d'un *complexe d'écrivain*? «... its importance in establishing the identities in the writer complexus (for if the hand was one, the minds of active and agitated were more than so)...» (Joyce).

Qu'entre-t-il dans un écrit? L'imposture des sons («soundscript»). Que faut-il entendre dans les sons? L'imposture d'un nom. Qu'y a-t-il dans un nom? L'imposture des noms dont ce nom se traverse avec amour afin d'advenir dans le temps des temps — «transname me, loveliness, now and here for all times». *Amen* dans l'*im*posture du Nom.

C'est singulier pluriel comme expérience et comme

signature toujours en cours de nomination.

Post-Scriptum:

J'ai passé en Irlande — *Erin, Green Gem of the Silver Sea* — la dernière semaine de novembre 1982. Fin de campagne électorale, plutôt débilitante, mauvaise impression de nager en pleine ambiance duplessiste. Je me tiens à distance, écoute, vois, ris, marche, heureux de me sentir ailleurs tout en sachant que je n'ai plus rien à fuir. Dublin, l'Hotel Gresham, promenades dans St. Stephen's Green Park, Trinity College, les odeurs de la Liffey, la traversée de Phoenix Park, St. Patrick's College de Maynooth; puis quelques jours à Cork, sa baie, les ruines d'un monastère, l'air de l'océan s'ouvrant sur l'Amérique.

Qu'étais-je venu faire en Irlande? Poursuivre ma passion du voyage, lire quelques extraits de *Felix culpa!*, parler du tassement de la littérature québécoise et du drame de quelques-uns de ses représentants, rendre compte de ma rencontre avec Joyce. Joyce? Les festivités entourant son centenaire étaient terminées. Joyce était redevenu exaspérant et haissable. Si peu gaélique par son manque de *P.Q.*, il n'avait rien compris à l'Irlande «profonde». *Ulysse* en était réduit à servir de «guide bleu» pour circuit touristique de la ville de Dublin.

Je me retrouvais, encore une fois, au cœur du malentendu permanent qu'est la littérature.

Quelques rencontres heureuses: un catholique, un protestant, une juive et sa fille, un exilé du sud de la France. J'ai raté John Montague, mais j'ai cru saisir l'éclair d'une détente apaisante:

> *Edenlike as your name*
> *this sea's edge garden*
> *where we rest, beneath*
> *the clarity of a lighthouse.*

190

J'ai pensé à Artaud venu se réfugier sur cette île de moines baladeurs, griffonné des notes, envoyé quelques lettres, cherché à savoir où j'en étais de ma propre aventure métaphysique. Tous les soirs, quelques pages des *Lectures talmudiques* de Levinas pour me tenir compagnie. Par exemple: «Dieu n'est peut-être que ce refus permanent d'une histoire qui s'arrangerait de nos larmes privées.» Ou encore: «La conscience est l'urgence d'une destination, menant à autrui et non pas un éternel retour sur soi.»

Étrange pays que j'aurai vu, somme toute, avec des yeux étrangers!

Le centenaire de Joyce, événement célébré un peu partout dans le monde, s'est achevé par la mort de Lucia, sa fille.

Comment ne pas penser à l'apparition de Nuvoluccia dans *Finnegans Wake* et la péroraison qui le boucle: «I go back to you, my cold father, my cold mad father, my cold mad feary father, till the near sight of the mere size of him (...). Carry me along, taddy, like you done through the toy fair!»

La naissance de Lucia, sous le signe de la lumière et de l'illumination, avait permis à Joyce la transformation de *Stephen le Héros* en *Portrait de l'artiste jeune par lui-même*. En contrepartie à son don des langues dans le Nom, Joyce lui reconnaissait le don de seconde vue.

La *voyance* de Lucia signe la *joyance* du père dans sa germination infinie.

On se rappellera que Stanislas — le «brother's keeper» de Joyce pour qui *Ulysse* représentait le sommet de l'art — était mort le jour de Bloom, le 16 juin 1955.

Leur disparition participe du texte joycien décrivant les structures *complexes* de la parenté, énonçant «the family umbroglia» à travers l'intelligibilité de toutes les langues.

Dans cette configuration qui noue le nom de Joyce à son prénom James, prend place *Jacob*: «l'homme intègre, le plus droit des hommes, *Iche Tam*, est aussi l'homme averti du mal, rusé et industrieux» (Levinas). Comme Ulysse.

Série de deux émissions à l'occasion du centenaire de la naissance de Joyce, respectivement intitulées *Joyce in progress* et *Joyce au Québec*, diffusées sur les ondes MF de Radio-Canada les 17 et 24 février 1982.

---

1. *Because*, l'un des quatre points cardinaux (désignant les seins) du monologue de Molly, transposé en *parcequeue* dans le discours du Professeur Jones: transcodage d'une représentation sexuelle au plan de son énonciation tantôt féminine et tantôt masculine.

2. L'état de «ce qui gode» et «stupéfiants godemichés» (déformation de *gaude mihi*) rendent assez bien, je pense, la charge négative de «Gad and all giddy gadgets». La difficulté est de saisir la ligne de démarcation entre l'affirmation d'un phénomène et sa négation symbolique.

3. La mystique, par exemple, qui ouvre un passage à travers l'ordre des phénomènes en détachement dans une expérience du *rien*. Dans une lettre à Martha Fleischmann où il se compare à Dante «quand il est entré dans la nuit de son être», il ajoute: «Je vous regarde dans les yeux et mes yeux vous disent que je suis un pauvre chercheur dans ce monde, que je ne comprends rien de ma destinée ni de celle des autres, que j'ai vécu et péché et créé, que je m'en irai, un jour, n'ayant rien compris, dans l'obscurité qui nous a enfantés tous.» Neuf ans plus tard, devant l'incompréhension générale qui accompagne la publication en feuilleton des premiers chapitres de *Work in progress*, il précise à Miss Weaver sa démarche: «Je suis de plus en plus conscient de l'hostilité indignée que rencontre ma tentative d'interprétation de la 'nuit obscure de l'âme'.» De Dante à saint Jean de la Croix, la *nuit* (de l'être, de l'âme) — par sa limite extrêmement marquée

   — désigne bien l'«expérience intérieure» de celui qui, s'engageant dans le vide, remonte du fond des choses perçues.

4. Son «mal d'yeux international», disait-il.

5. *Word* dans *world*: «fermentend words», «fictionable world».

6. Comme le dit Stephen à Bloom: «Il n'est que deux formes d'amour en ce monde, l'amour d'une mère pour son enfant et l'amour d'un homme pour ses mensonges.»

7. «Des planches: enfants ramassés en boule dans de sanglantes matrices, quelque chose comme du foie de bœuf frais détaché. Il y en a comme ça une quantité en ce moment dans le monde entier. Ils cognent tous de la tête pour se tirer de là. Un nouveau-né à toute minute quelque part. Mme Purefoy.»

8. Dans *Finnegans Wake*, ALP, la «Gran Geamatron», est *géomaîtrisée*, réduite à son sexe («She's her sex, for certain»), au triangle de son sexe («muddy old triagonal delta»).

9. C'est dans une lettre à Miss Weaver, le 1er novembre 1921, que Joyce prend subitement conscience de l'enjeu des anniversaires (le sien ou celui de ses proches) comme moments déterminants («coïncidences») dans l'élaboration de ses livres. Cependant, avant et après la parution d'*Ulysse*, il est possible de relever l'importance grandissante qu'aura prise son anniversaire de naissance, comme s'il en re-signait chaque fois l'opération de passage. Le 2 février 1904, comme le note son frère Stanislas dans son journal, il décide de transformer en roman la première version du *Portrait* qui tenait alors de l'essai. Ce livre paraîtra en feuilleton dans *The Egoist* à compter de la livraison du 2 février 1914. L'illumination de Martha Fleishmann a lieu le 2 février 1919. La Protestation internationale contre la piraterie d'*Ulysse* par l'éditeur américain Roth, est datée et publiée le 2 février 1927. Sans oublier le choix de James Stephens pour lui succéder, sous le sigle commun J.J. and S., s'il ne menait pas à terme la rédaction de *Finnegans Wake*, ce dernier étant né le même jour, à la même heure et dans la même ville que lui. Quant à l'année de sa naissance (1882), Joyce a rappelé dans l'un de ses articles du *Il Piccolo della Serra* («L'Irlande à la barre») qu'elle avait été le théâtre d'un meurtre collectif et d'un procès injuste impliquant des membres de la tribu Joyce dont il se fait, vingt-cinq ans plus tard, le porte-parole des tribulations.

10. «In the name of Anem» (dans *Finnegans Wake*).

11. «Time: the pressant.»

12. Joyce disait: «... l'Irlandais moyen ne semble jamais avoir dépassé intellectuellement le domaine de la religion et de la politique. Résultat: nous n'avons jamais créé beaucoup d'œuvres d'art au sens plein du terme — peinture, architecture, sculpture. Le talent que nous possédons semble s'être affirmé

dans la littérature, et, dans ce domaine, vous admettrez que nous n'avons pas mal réussi, particulièrement dans le théâtre.» Bien que le Québécois moyen n'ait pas dépassé le domaine de la religion et de la politique (malgré les apparences), je postule à l'inverse que la littérature a subi un retard considérable par rapport à la peinture et à la musique. La raison: nous souffrons d'*aphasie*, ce qu'illustrent la littérature québécoise en général et le théâtre en particulier.

13. Joyce en avait prévu l'éventualité, quelques temps après la publication d'*Ulysse*, lorsqu'il confie à Arthur Power: «D'après ce que j'en peux savoir, viendra un nouvel âge d'excès, d'idéologies, de persécutions, de cruautés qui seront peut-être politiques au lieu d'être religieux — *bien que le religieux puisse resurgir comme partie intégrante du politique.*» Ce qui allait le précipiter dans la rédaction de *Finnegans Wake* dont la sortie coïncide avec le début de la seconde guerre mondiale.

14. Lettre longtemps imprononçable par quelque pruderie, hautement affichée aujourd'hui comme siglaison. Le *P.Q.*, en Irlande, désigne la «peasant quality». Il s'agit, ici, d'une qualité plutôt pesante (cf., pour l'exemple, à *D'amour, P.Q.* de Jacques Godbout). D'un autre côté, il y a la ruse d'Aquin si justement intitulée *Trou de mémoire*: «Ce que j'écris à la machine — sur cette vieille Olivetti dont le *q*, invariablement, crée un embouteillage de caractères — me fascine en retour: c'est un peu comme si la feuille, imprimée par le truchement de cette machine, invulnérable en termes de graphologie, n'avait rien à voir avec un texte de moi. La dactylographie officialise ma logorrhée et lui confère un statut de mandement ou de manifeste politique...»

15. «Il n'y a pas de politique qui ne soit d'abord une linguistique» (B.-H. Lévy).

16. «Je sais que, lorsque je fréquentais les pubs autour de Christ Church, cela me rappelait toujours les tavernes médiévales où se coudoyaient le sacré et l'obscène...» Joyce à Arthur Power).

17. Cf. le dossier «James Joyce: obscénité et théologie» dans *Tel Quel* 83. À lire aussi «La Blasphémie et l'euphémisme» d'Emile Benveniste dans *Problèmes de linguistique générale II*, Gallimard.

Ça ne fait que commencer
Machine de guerre
et nouvelle imposture

L'homme moderne a perdu l'option du silence. Essayez de stopper votre parole sous-vocale. Essayez d'obtenir dix secondes de silence intérieur. Vous rencontrerez un organisme résistant qui *vous force à parler*. Cet organisme c'est le verbe. Au commencement était le verbe. Au commencement de quoi exactement? Les premiers artisanats vocaux ont à peu près dix mille ans d'existence et les annales «enregistrées» — (ou pré-enregistrées) ont à peu près sept mille ans d'existence. Il paraît même que la race humaine est sur le plateau depuis 500 000 ans. Ceci dit il y a 490 000 ans inexpliqués. En dix mille ans l'homme moderne a évolué de l'âge de pierre aux armes nucléaires. Mr. Brion Gysin laisse entendre que le *Désert de Gobi* est le résultat d'un désastre nucléaire qui a effacé toutes les traces d'une civilisation responsable d'un tel désastre. Leurs armes nucléaires n'opéraient peut-

être pas au même niveau que les nôtres.
Ils n'avaient peut-être pas de contact avec
l'organisme verbe. Il est possible que le
verbe n'existe que depuis dix mille ans. Ce
que nous appelons histoire est l'histoire
du verbe. Le commencement de *cette* histoire fut le verbe.

Burroughs

La guerre n'est que l'état le plus visible, quotidien,
du refus général par la planète de dire l'espèce de chose
en sommeil qu'elle est devenue: la concrétisation absolue de la pulsion de mort — d'où la mélancolie en cours.
La pulsion de mort, Freud ne la formule que sur le tard,
autour de 1920, de sorte que personne n'a été tenté de
prendre ça très au sérieux, et pour cause: le vingtième
siècle, déjà entamé d'un quart, allait mondialement en
consacrer l'avènement. Une fois mondialisée, c'est-à-
dire devenue quotidienne, la guerre succède à la guerre.
De situation acceptée en dernier recours, elle est passée
dans les têtes comme la seule solution acceptable, pour
l'ensemble, de se sauver. Guerre froide, guerre des
nerfs, guerre industrielle, guerre de religions, guerre
idéologique en passant par toutes les guérillas que génè-
rent les religions d'État, guerre bio-bactério-météorolo-
gique, guerre des informations-communications au
point d'avoir formulé la nécessité d'une désinfor-
mation[1], guerre des gangs, guerre des prix et des
salaires, guerre des sexes, guerre des ondes, l'escalade
n'en finit plus, avec multinationales à l'appui, en attendant la guerre des étoiles que vous pourrez toujours voir
et revoir sur votre écran de télévision à péage, histoire de
vous mettre dans le coup et de ne pas être pris au
dépourvu le jour où elle se produira.

Petit à petit la société industrielle, telle que nous l'avons connue ou même combattue, cède le pas à une société technologique informatisée qui affecte tous les secteurs et tous les circuits de l'activité et de la pensée de l'homme. Dans cette perspective irréversible, nous sommes confrontés à un monde *artificiel* qui s'incarne dans un appareil — l'ordinateur — qui est lui-même le support d'une véritable révolution des langages.

Ainsi, en l'espace d'une quarantaine d'années, soit depuis l'apparition des premiers ordinateurs qui coïncide avec la fin de la dernière guerre, nous sommes passés de l'éléphant à la *puce*, de l'infiniment grand à l'infiniment petit. Mieux: nous sommes passés de l'infiniment grand (le gigantisme de la société industrielle) *dans* l'infiniment petit (la miniaturisation des circuits logiques d'une société informationnelle).

L'ordinateur, dans un premier temps, n'était qu'un prolongement conséquent de la société industrielle: le perfectionnement d'une machine à calculer. Aujourd'hui, on le considère comme le prolongement, la prothèse — si vous voulez — du cerveau: il est devenu tout à la fois une machine à penser, à écrire, à lire, à jouer. En ce sens, un individu ne communique plus intersubjectivement avec un autre individu, il est entré dans une communication transsubjective («interface», à ce qu'on dit) avec la machine.

À dire que l'ordinateur est une machine à penser, cela ne veut évidemment pas dire que c'est une machine qui pense. Elle ne pense que ce qu'on lui ordonne ou programme de penser, la question étant de savoir qui programme et au service de qui programme-t-on. Cependant, si la machine ne pense pas, il y a là l'indication que nous-mêmes ne pensons pas au moment où se déroule une opération de pensée et qu'en ce sens nous suivons les mêmes mécanismes que la machine en train de déclencher la chaîne des combinaisons possibles. Que nous ne soyons pas dans le coup de notre pensée, c'est ce dont Freud a rendu compte en découvrant l'inconscient comme effet de signifiant. De sorte qu'il est possible de dire que l'ordinateur reprend à son compte les trois stratégies de la technique de l'inconscient, à savoir: accumuler, transformer, calculer.

Toute fiction est déjà traitée comme possible par le fonctionnement de la machine qui, à son tour, peut combiner tous les discours qu'il faut pour que des «sujets» se sentent à leur place. Toute machine, à ce point de perfectionnement avancé que nous lui connaissons et de performance le plus rapproché d'elle-même — c'est-à-dire que, pour la plupart d'entre nous, elle semble se suffire à elle-même, — n'est jamais autre chose qu'une machine de terreur, une machine de guerre qui fascine et terrifie tout à la fois[2]. D'où sa contradiction: faire peser sur le plus grand ensemble possible une menace de mort sans jamais le dire, sous peine de se dérégler, et en retarder l'exécution, du moins en la minimalisant sous forme de mémoire enregistrée et partagée par l'ensemble ou en la régionalisant selon quelques points chauds (escalades) qu'elle délimite. D'où l'inintérêt de se poser, à propos de la machine, la question du bien et du mal: elle traite radicalement le mal sans cependant dire qu'elle est aussi comme émanation du mal un mal nécessaire, disant tout le contraire, à savoir qu'elle est la seule assurance du bien contre le mal ainsi mise au service de l'ensemble socio-planétaire. On ne demande évidemment rien d'autre à la machine, sinon qu'elle nous rassure en échange de notre discours d'assistance.

Les plus optimistes vous diront que la guerre des étoiles n'aura pas lieu. Il y a en effet des rumeurs insistantes et de plus en plus angoissées — et c'est à ce point audible que j'ai des collègues à l'Université qui préparent leurs étudiants à cette éventualité — des rumeurs donc qui sous-entendent qu'une troisième guerre mondiale mettra un terme à ce monde. D'abord, parce que selon un vieux principe qu'a travaillé la théologie: il n'y en a pas deux sans trois; ensuite parce que la guerre apparaît dans l'imaginaire de chacun comme la seule solution pour régulariser les crises et la guérison possible à notre maladie d'être — *vivants*; enfin parce qu'on nous l'a assez répété, la menace atomique est à ce point dans les airs comme fatalisme, que le monde dans lequel nous sommes censés vivre se réduit à la pression d'un bouton et que chacun croit qu'un autre est assez fou pour le presser à sa place. Appelons-ça la guerre des boutons. Si nous échappons à celle-ci, la guerre des étoiles se profile sur l'écran cathodique de nos cerveaux comme solution de rechange.

Je ne vous raconte pas ça pour vous effrayer ni pour vous rappeler à l'ordre de l'effroi qui surplombe tout désir, mais seulement pour vous faire sentir que ce que dorénavant nous pensons de la machine est d'avance programmé par la machine elle-même qui nous prend de court. Je prends pour l'occasion un ton parodique parce que je pense qu'un écrivain aujourd'hui ne peut pas faire mieux que de vous mettre dans la parodie de cette vision de fin de monde.

Nous touchons donc à l'horizon apocalyptique, c'est-à-dire que l'*apocalypse* en tant que la pointe et l'acuité d'une révélation en train de dire la vérité effective d'un fait jusque-là caché ou oublié, *a déjà eu lieu*[3]. Révélation de quoi? D'un état d'interruption du monde dans le terminal d'un autre monde *où il passe* — entièrement écrit, c'est-à-dire traité. Bien sûr ça va continuer, mais pour nous, le monde que nous représentons et les catégories que nous manipulons, c'est terminé. Sans même sortir de chez soi, nous entrons dans l'espace illimité qui ne se referme sur aucun lieu, dans une autre dimension de temps et de langage dont la multiplication des données nécessite en permanence de s'auto-déchiffrer à profusion dans une formule simple et abrégée. Nous allons nous régler sur une loterie informatique dont l'accroissement et la vitesse des connexions synaptiques matérialiseront toutes les opérations de la pensée comme décrochées du cogito, aussitôt automatisées et désaffectées. Jamais le *sujet* n'aura été à ce point mis en procès dans la signifiance au point d'exploser sur place.

Prenez par exemple une bibliothèque qui représente la thésaurisation de sens et l'accumulation d'écrits de notre culture archivée dans une langue morte, faites-la rentrer dans une machine et vous assisterez alors à une sorte de résurrection de langage qui, sous la forme d'un télex, délivre la lettre du texte.

Personne mieux que Borges, peut-être, n'a montré dans ses *Fictions* — au chapitre de «La loterie de Babylone» et, surtout, de «La Bibliothèque de Babel» — ce qu'il en retourne de cette concrétisation du langage à l'infini et de ses implications pour celui qui s'y affronte. Dans *le Livre de sable*, par contre, il anticipe ce que pourrait être la transmission d'un livre par rayon lumineux enfermé à l'intérieur de «fibres optiques».

La fiction n'est rien d'autre que cela: raconter ce qui se passe, *narrater* la création elle-même (comme effet de ratage) et se demander ce que ça signifie.

Recommençons par une autre boucle du circuit: le computer et la littérature, car enfin c'est d'elle que je vous entretiens, se situent du même côté.

L'ordinateur est donc, en quelque sorte, une extension formidable de la machine à écrire, et, de ce fait, une extension de l'écriture elle-même. La machine produit des marques, c'est-à-dire des différences, qui s'enregistrent sur le ruban d'une mémoire vive, et ces différences peuvent produire à leur tour leurs propres marques. Tant qu'il y a du ruban et que la mémoire ne s'épuise pas, le processus reste indéterminé. De la même manière, l'élément de l'écrit est le trait et le trait quand il s'organise en réseaux de traits préside au traité, c'est-à-dire à une certaine forme d'alliance. Lorsque le traité fait acte, il s'offre au traitement de son texte. Ainsi la télématique, comme extension de l'écriture, nous fait passer directement d'une encyclopédie des savoirs à une encyclopédie des langages. Comme tout langage a tendance à se refermer sur lui-même, il nous reste la tâche difficile de nous assurer qu'il ne devienne pas dogmatique ou grégaire.

La littérature, aujourd'hui, ne peut être vécue que sur le mode et selon les enjeux de la télématique, si elle veut continuer à avoir affaire au réel. En ce sens, la littérature n'a jamais été autre chose que *réaliste*, ce qui implique du même coup qu'il y a très peu d'écrivains. Le meilleur point de vue possible d'un écrivain sur le réel, c'est-à-dire sur les rapports de force le plus souvent invisibles de la société de son temps, se situe *hors du monde* comme effet de pointe d'inscription et de détachement.

Jamais la planète n'aura été aussi petite, tassée, réduite à des abréviations chiffrées et visibles d'ondes photoniques à travers lesquelles elle passe dans la chute des données les plus saisissantes et les plus folles, de plus en plus minuscule dans son gigantisme acromégalite révélé, couverte de missiles, de radars, de transmetteurs-transformateurs, balayée et surveillée de près par des satellites géo-stationnaires pour que ça continue de circuler et de tourner en rond selon une application militaire de l'information — à la fois gérée et retenue, diffusée et empêchée — et selon une computation machinique de la mort au travail. Nécrose dorénavant calculée, régularisée, rentabilisée, généralisée à l'échelle planétaire selon le nouvel axe Nord-Sud en fonction duquel une moitié de réfugiés à domicile regarde tranquillement la cohorte des déportés de l'autre moitié, mais dont les bénéfices sont planifiés, partagés et redistribués par les empires Est-Ouest[4].

Nous assistons donc à la fin de «la galaxie Gutenberg». Qu'est-ce que cela veut dire? Que nous entrons dans une boucle du temps où la masse (l'accumulation) de *déchets* qui nous encombrent, caractéristiques de cette civilisation dont nous marquons le terme, ne sera plus l'objet d'un simple recyclage mais pourra être *entièrement* traitée selon un processus de réduction et sous le mode de la libre circulation des informations. Voilà le problème: qui dit «circulation» implique, du même coup, un effet de surveillance accrue de la part des agents du renseignement, eux-mêmes pris dans le réseau de la machine qui les programme. Devant ces flux trans-frontières d'informations et de données va se jouer une double bataille entre la logique de l'empire, marquée par la concentration, et la logique de la frontière, marquée par le respect de la souveraineté. Ce qui est en cause dans cette crise de l'information, c'est toute la théorie juridique occidentale qui subordonne le droit des nations aux droits civils de la personne. Qu'en sera-t-il des droits de l'homme? Que restera-t-il du droit d'auteur?

McLuhan, lecteur de Mallarmé et de Joyce, était bien avisé de penser cette nouvelle aventure comme retour du médiéval dans le complexe techno-culturel qui fait de la planète un «village global».

L'ère électronique (électronucléaire) n'est rien d'autre, peut-être, que l'accomplissement de l'ère théologique, l'achèvement de la Somme réduite à sa plus simple information où la divine comédie humaine, sous forme de stimulus-réponse, est plongée dans le sommeil agité de l'ordinateur. Les banques de données, assistées par ordinateur, se substituent aux cathédrales ou, inversement, l'Inquisition fait place au sujet alphanumériquement fiché en train d'exercer ses réflexes de Pavlov sur des gadgets miniaturisés à clignotements lumineux.

L'omniscience qu'on prête volontiers à la machine, en fonction de son supposé savoir-faire et faire-croire, peut adéquatement faire oublier celle jadis attribuée à Dieu. «Graced be Gad and all giddy gadgets», écrivait déjà Joyce. Les scribes et les clercs sont remplacés par des *médiatiseurs*, nouveaux intellectocrates, qui à leur tour pourront devenir les canonistes de la société informationnelle, ayant pour tâches d'évaluer les nouvelles techniques de dressage et d'imposer d'autres versions de la censure et d'autres modes de contrainte. La théologie, comme gestion du besoin religieux, est démissionnée par l'information comme gestion du pouvoir qui renforce toute Église d'être financée par la R.S.M. (Recherche Militaire et Scientifique)[5]. De même, aucune société informatisée ne pourra jamais empêcher qu'il y ait des corsaires et des hérétiques qui la parasitent.

Baudelaire définissait le réel comme «ce qui n'est complètement vrai que dans l'autre monde». *L'Autre Monde*, c'est le titre d'un roman de Cyrano de Bergerac, généralement classé sous la rubrique utopie ou science-fiction parce que ce dernier — alors que Pascal invente la machine à calculer — s'était mis la lune dans la tête d'où il rapporte l'idée, au milieu du XVIIe siècle, d'un audio-livre. Il est vrai qu'il avait du nez, celui-là. Quelle est la leçon de Cyrano? Qu'il n'y a pas d'autre utopie que de langage, que si le réel de la fiction trouve sa limite dans la machine de la réalité, vous obtiendrez le totalitarisme, ou si vous préférez, que le totalitarisme est la seule question à laquelle s'affronte la littérature. C'est aussi la *Leçon* de Roland Barthes.

La littérature, c'est un art de la guerre, l'art d'interpréter la guerre point par point afin de dégager le sens jamais traité de la catastrophe qu'elle dénoue.

Faisons ensemble un tour d'horizon du 20e siècle à partir de quatre machines de fiction qui laissent entendre de «la langue hors-pouvoir, dans la splendeur d'une révolution permanente du langage» (Barthes). Kafka, devenu une mémoire vivante, suit le pas-à-pas de la répression bureaucratique jusqu'à s'y dissoudre. Burroughs simule le langage opérationnel du fonctionnement technologique afin d'exploser avec lui. Entre les deux, arrive Joyce qui, à travers son écoute de Shakespeare lui-même en train de disposer de Saint-Paul, fournit une structure de langage afin de se libérer de l'insensé techno-bureaucratique: «What can't be coded can be decorded if an ear aye sieze what do eye ere grieved for» que Jean-Louis Houdebine traduit remarquablement: «Ce qui ne peut être codé (chiffré) peut (néanmoins) être décœurtiqué (déchiffré) si une oreille à jamais (à jamœil) voit (saisit) ce dont nul œil ne s'était encore mis en peine.» À la suite de Joyce, mais pardessus Burroughs, survient Philippe Sollers qui, affinant avec rigueur cette méthode pour en finir avec les services secrets, construit dans la permanence du rire un computer métaphysique à au moins quatre dimensions (sexuelle, historique, religieuse et langagière) dont la première tranche publiée (il s'agit de *Paradis*) se termine interminablement de deux manières. Dans la première, les bandes jusque-là enregistrées sont passées dans l'ordinateur pour être transformées en petite annonce chiffrée, alors que dans la seconde, combinant le «procès» de Kafka et le «ticket» de Burroughs dans le «wake» de Joyce, l'audio-livre est glissé en cachette dans le mur d'une cathédrale[6].

«Le monde est fait pour aboutir à un beau livre», disait Mallarmé. Le voici maintenant transistorisé sur une plaque de silicium. De sorte que des idéologues, derniers vaccinateurs à ne pas avoir trouvé d'emploi à la médiatique, en concluent à la désuétude du livre. Ils n'ont pas encore compris que le travail d'un écrivain ne s'incarne pas dans un appareil, ne se referme pas dans le circuit du livre ou de la boîte noire[7]. Voilà ce qui rend peut-être les écrivains si in-supportables de laisser vide leur tombe dans laquelle on voudrait bien les précipiter. Comme le Christ sorti du tombeau, personne ne les reconnaît, pas même leur mère.

L'ordre de la machine relève de la syntaxe, à savoir la combinaison et la prévision des places. La ruse de l'écrivain, dans sa rencontre avec l'ordinateur, c'est d'être ailleurs, de ne pas être dans le coup de la machine, seule condition pour que puisse être traitée la mise en circuit du sens par rapport au hors-sens, que du non-être vienne à être comme s'il avait parlé. L'*im*posture de l'écrivain, c'est d'être sans place, toujours «déplacé» par rapport au régime de la machine où chacun doit se sentir à sa place.

De l'ordinateur au micro-processeur dont elle se soutient, la télématique n'est somme toute que l'avenir jamais advenu de l'écriture, l'extension logique et sans précédent de ce qui s'est pensé jusqu'ici sous le nom de *littérature* — toutes deux ne relevant plus, dans leur scription devenue téléscription, d'une langue naturelle, maternelle ou nationale, mais d'une langue *absolument* étrangère. À ceci près qu'un écrivain aujourd'hui, s'il s'en trouve un, devra avoir la même compétence qu'un computer en action, en train d'écouter et d'enregistrer — du fond encore secret de l'univers — le Big Bang continu et parlé depuis l'origine en train de remonter le temps comme la radiation de son avenir encore indéchiffrable.

Communication au colloque conjoint de l'Union des écrivains québécois, de l'Association des traducteurs canadiens et de la Writer's Union (12-14 février 1982). Ce texte a servi, par la suite, de canevas à une série de cinq émissions, *Écriture et télématique*, sur les ondes de Radio-Canada MF.

1. Dont les otages américains de Téhéran ont fait les frais, entre le réveil de l'Islam et la crise de l'Occident.
2. Fascine et terrifie: la guerre est l'un des ressorts du jeu. La théorie des jeux, inversement, influe directement sur la théorie des coalitions, des monopoles et de la guerre. La typologie des jeux est basée essentiellement sur la répétition, le mimétisme, le conflit et la part, variable mais décelable, du hasard et du calcul. Roger Caillois propose la répartition des jeux en quatre grandes classes: ceux qui relèvent de la compétition, de la chance, du simulacre ou du vertige. Seule la guerre, comme jeu, prend appui sur chacune de ces classes et remplit l'ensemble du programme. La rencontre de la guerre, comme accomplissement du jeu, et du micro-processeur, dont les opérations mettent en jeu des données similaires, ouvre une nouvelle dimension: *la simulation de situations réelles* qu'on appelle *war games*.
3. D'où le fait qu'on se soit avisé à Hollywood d'en faire un film.
4. Les pays industrialisés possèdent présentement 95% de la capacité des ordinateurs, de sorte que la circulation de l'information n'est ni libre ni équilibrée et que le Tiers-Monde est exclu de ce partage. D'autre part, les États-Unis sont à 80% le principal pourvoyeur des bases de données. À eux seuls, le Pentagone et la Nasa dépensent 15 milliards de dollars par année en électronique militaire, soit près du 2/3 des sommes consenties par le Département d'État américain à la recherche scientifique.
5. S. Nora et A. Minc posent que la télématique, «à la différence de l'électricité, ne véhiculera pas un courant inerte, mais de l'information, c'est-à-dire du *pouvoir*». Il n'y a qu'à songer aux évangélistes de la télévision américaine qui, en plus d'avoir fondé un parti de soutien à Ronald Reagan, ont résolu de faire l'acquisition d'un satelitte de communication.
6. Rien à voir, pour l'instant, avec ce qui s'est écrit du côté *protestant* de l'anticipation: *la Guerre des Mondes* de H.G. Wells, *le Meilleur des Mondes* d'Aldous Huxley ou *1984* de Georges Orwell. Il n'est reste pas moins que, dans cet horizon sans échelle du monde où nous entrons, le totalitarisme est déjà au programme de la machine.
7. Avec l'ordinateur comme appareil de traitement de textes, ça s'écrit directement dans le volume qui a la dimension d'un point à l'infini.

TABLE

IMPOSTE   11

Déchéance de la chose écrite   17

Nelligan's Fake   32

Parler en langue(s)   49

L'*im*posture généralisée   71

Fragments d'*im*posture   93

Coïtération   139

Joyance   168

Ça ne fait que commencer   195

éditions LES HERBES ROUGES
titres disponibles

Claude Beausoleil, *Avatars du trait*
Claude Beausoleil, *Motilité*
Nicole Brossard, *La Partie pour le tout*
Nicole Brossard, *Journal intime*
Paul Chamberland, *Genèses*
François Charron, *Persister et se maintenir dans les vertiges
      de la terre qui demeurent sans fin*
François Charron, *Interventions politiques*
François Charron, *Pirouette par hasard poésie*
François Charron, *Peinture automatiste* précédé de *Qui parle
      dans la théorie?*
François Charron, *1980*
François Charron, *Je suis ce que je suis*
François Charron, *François*
Normand de Bellefeuille et Roger Des Roches, *Pourvu que ça ait
      mon nom*
Normand de Bellefeuille, *Le Livre du devoir*
Roger Des Roches, *Corps accessoires*
Roger Des Roches, *L'Enfance d'yeux* suivi de *Interstice*
Roger Des Roches, *Autour de Françoise Sagan indélébile*
Roger Des Roches, *«Tous, corps accessoires…»* poèmes et proses,
      1969-1973
Roger Des Roches, *L'Imagination laïque*
Raoul Duguay, *Ruts*
Raoul Duguay, *Or le cycle du sang dure donc*
Lucien Francoeur, *Les Grands Spectacles*
Huguette Gaulin, *Lecture en vélocipède*
André Gervais, *Hom storm grom* suivi de *Pré prisme aire urgence*
Carole Massé, *Dieu*
Carole Massé, *L'Existence*
André Roy, *L'Espace de voir*
André Roy, *En image de ça*
André Roy, *Les Passions du samedi*
André Roy, *Les Sept jours de la jouissance*
Patrick Straram le bison ravi, *one + one Cinémarx
      & Rolling Stones*

France Théoret, *Une voix pour Odile*
France Théoret, *Nous parlerons comme on écrit*
Laurent-Michel Vacher, *Pour un matérialisme vulgaire*
Yolande Villemaire, *La Vie en prose*
Yolande Villemaire, *Ange Amazone*
Yolande Villemaire, *Belles de nuit*
Josée Yvon, *Travesties-kamikaze*

Cet ouvrage
composé en Times corps 12
a été achevé d'imprimer
aux Ateliers graphiques Marc Veilleux
à Cap-Saint-Ignace en décembre 1984
Dépôt légal: 4e trimestre 1984

IMPRIMÉ AU CANADA